HISTORIAS DE ÉXITO

"Cuando empecé mi cintura era talla 42 y hoy en día es tamaño 36. Bajé 45 libras que tenía de exceso. Ya no uso el medicamento para la alta presión. Es un éxito."

K. Torres -
San Sebastián, P.R.

"Mi diabetes se mejoró tanto que ya no me tengo que inyectar insulina como antes y sólo utilizo un medicamento para controlar mi condición. Hacer esto me ayudó a recuperar mi salud, mi metabolismo y la confianza en mí misma. Cuando estaba gorda usaba una talla 18 y hoy soy talla 10."

M. Santiago
Río Piedras, P.R.

"Había fracasado en tantas dietas y distintos sistemas de bajar de peso que mi esposo me decía que no valía la pena seguirlo intentando. Hoy me puedo poner ropa talla 6 que me gusta y ya regalé toda la ropa talla 14 que tenía en el closet. Jamás regresaré a cometer los mismos errores de antes."

T. Andreu
Carolina, P.R.

"Mi metabolismo realmente se mejoró. Era algo que me parecía imposible. Mi cintura antes era tamaño 46 y hoy compro pantalones tamaño 36."

P. Morales
Juncos, P.R.

I

"Yo era una horrible talla 20. Mis hijos y conocidos me criticaban. Todos pensaban que mi problema era que yo comía mucho. Pero, aprendí que mi problema era que tenía un metabolismo lento y una condición de tiroides que mis médicos no habían detectado porque no se reflejaba en los análisis de laboratorio. Aprender sobre el metabolismo me permitió conseguir la ayuda médica que necesitaba. Al conseguir esa ayuda y mejorar mis hábitos y mi estilo de vida logré bajar hasta mi talla actual, talla 8."

S. Rodríguez
Fajardo, P.R.

"Francamente, ya me había dado por vencida porque ninguna dieta me funcionaba. Había hecho dietas de contar calorías y había pasado mucha hambre. No sabía que mi problema era un problema de metabolismo lento. Ya he bajado casi 60 libras de peso y ahora hasta mi marido me cela porque nuevamente me veo bien. Era talla 16 y hoy compré ropa talla 6 que me queda bien bonita."

M. Flores
San Juan, P.R.

"Después de casarme aumenté como 30 libras de peso hasta llegar a una talla 12. Pero, lo más triste es que empecé a padecer de migrañas, sinusitis y hasta de alta presión. Mi salud se deterioró y me sentía siempre cansada. Ahora he vuelto a ponerme la ropa de cuando me casé, talla 6, y tengo montones de energía. Recobré mi metabolismo."

Z. Martínez
Yauco, P.R.

II

"Cuando dejé de fumar aumenté casi 40 libras de peso. La ansiedad me estaba matando y comía dulces sin control. Con lo que aprendí logré bajar las mismas 40 libras de sobrepeso y nuevamente estoy en mi talla normal. Lo logré sin pasar hambre. Es un éxito."

M. Martínez
Guaynabo, P.R.

"Estaba adicta a los dulces y los carbohidratos. También a la Coca-Cola. Con lo que aprendí pude romper el vicio y hoy en día no siento necesidad de esos alimentos que tanto me engordaban. Bajé de la talla 16 a mi talla actual número 8. Me siento con mucha energía y mi migraña se desapareció."

R. Rosales
Guaynabo, P.R.

"Soy diabética hace 12 años. Con la diabetes subí de peso y aumenté de una talla 4 que era hasta la talla 12. Me sentía fea y enferma. Después de hacer este programa he logrado controlar mi diabetes y ya estoy comprando ropa talla 6. Todavía me queda un trecho para llegar a mi talla 4 original, pero sé que lo voy a lograr. ¡Esto funciona!"

K. Sotomayor
San Juan, P.R.

"Finalmente alguien me pudo explicar las razones de mi metabolismo lento. Lo más importante es que logré mejorar mi metabolismo y bajé 36 libras y 8 tallas en el proceso sin pasar hambre ni ansiedad. "

D. Angulo
Las Piedras, P.R.

III

El Poder del Metabolismo

Advertencia:
Este libro, *El Poder del Metabolismo*, ha sido escrito solamente como una fuente de información. La información contenida en este libro nunca debe considerarse como información sustituta de las recomendaciones de su profesional de la salud o médico cualificado. Siempre debe consultar con su médico antes de empezar cualquier régimen de dieta, ejercicio u otro programa relacionado a la salud.

El autor, Frank Suárez, es alguien que logró vencer su propia obesidad, no es un médico, dietista, ni nutricionista. Es un especialista en obesidad y metabolismo por su propio mérito. La información que provee este libro está basada en las recomendaciones que a través de los últimos 10 años han resultado exitosas para las personas que buscaban su ayuda para bajar de peso y recuperar el metabolismo.

Hemos hecho esfuerzos razonables para que toda la información aquí descrita sea veraz. La mayoría de la información está basada en las experiencias adquiridas trabajando con miles de personas en el sistema Natural Slim™.

 METABOFORTE™

Metabolic Press
262 Ave. Piñero
San Juan Puerto Rico 00918-4004

SAN # 8 5 1 – 7 4 9 5 P
Primera edición: Septiembre, 2006
Cuarta edición: Noviembre, 2008

Diseño e ilustración de portada: Juan Luis Martínez, Idearte
Impresión: Reliable Graphics, Carolina, Puerto Rico
Corrección y Revisión: Xiomara Acobes Lozada

Impreso en Puerto Rico / Printed in Puerto Rico, USA

Library of Congress Control Number: 2006931861

ISBN-13: 978-0-9788437-0-0
ISBN-10:0-9788437-0-3

Dedico este libro a mi amada esposa Elizabeth quien también es mi mejor amiga y aliada.

También lo dedico a mi filósofo, educador e investigador favorito, L. Ron Hubbard, quién me sirvió de inspiración y ejemplo sobre la capacidad de observar y sobre la importancia de la búsqueda incesante de la verdad.

CONTENIDO:
EL PODER DEL METABOLISMO

HISTORIAS DE ÉXITO I
INTRODUCCIÓN XI

UN PROBLEMA GIGANTE XV

NOTAS DEL AUTOR.. 3
ERA UN PROBLEMA PERSONAL.. 5
SOBREPESO Y OBESIDAD – EPIDEMIAS 15
LAS DIETAS - EL REINO DE LAS CONTRADICCIONES 19
¿QUÉ COSA REALMENTE ES EL METABOLISMO?........................... 23
EL FAMOSO "METABOLISMO LENTO" 25
DATOS RELEVANTES Y DATOS VITALES 29

LOS ENEMIGOS DEL METABOLISMO 31

FACTORES QUE REDUCEN EL METABOLISMO 33
EXCESO DE AZÚCARES Y CARBOHIDRATOS REFINADOS 35
LOS CARBOHIDRATOS SON ADICTIVOS... 39
UN EFECTO DEVASTADOR SOBRE LA SALUD 45
DESHIDRATACIÓN... 49
   ¿CUÁNTA AGUA DEBO CONSUMIR? 55
PROBLEMAS CON EL SISTEMA DE LA GLÁNDULA TIROIDES 57
LA TEMPERATURA LO DICE TODO 65
ESTRÉS, ES VERDAD QUE ENGORDA 73
MALA DIGESTIÓN... 81
SUSTANCIAS ENEMIGAS 85
LAS "INTOLERANCIAS" DEL CUERPO... 91
DESAYUNO DEFICIENTE 99
CANDIDA ALBICANS, "LA EPIDEMIA SILENCIOSA" 103
LA DIABETES Y LA HIPOGLUCEMIA 115
LAS HORMONAS EN LA MUJER.. 121
ANTIDEPRESIVOS Y MEDICAMENTOS QUE ENGORDAN 129
VIDA SEDENTARIA.. 133

HORA DE RECUPERAR EL METABOLISMO.......................... 143

LA MENTE LO CONTROLA TODO.. 145
¿BAJAR DE PESO O ADELGAZAR? 151
EL CUERPO ESTÁ VIVO.. 157
LOS ALIMENTOS - FUENTES DE ENERGÍA PARA EL METABOLISMO 163
¿VITAMINAS O VITAPOBRES? 169
¿CÓMO SE CREA LA GRASA DEL CUERPO? 173

¡LAS GRASAS NO SON LAS CULPABLES! 175
UNA DIETA CON LA QUE SE PUEDE VIVIR 179
CÓMO SOBREVIVIR "EN LA CALLE" 191
LAS "DIETAS" NO FUNCIONAN 199
LAS MERIENDAS 203
CUANDO EL METABOLISMO SE ESTANCA 209
ACELERACIÓN AL MÁXIMO 215
ROMPIENDO EL VICIO 219
CÓMO "HACER TRAMPA" DE FORMA INTELIGENTE 223
LA VERDAD SOBRE EL COLESTEROL 227

AYUDAS NATURALES PARA EL METABOLISMO 237

DESCUBRIMIENTOS DE SUSTANCIAS NATURALES 239
EL SECRETO RUSO DE LOS ADAPTÓGENOS 241
DOCTOR ZAKIR RAMAZANOV 245
ADAPTÓGENO: RHODIOLA ROSEA 249
ADAPTÓGENO: RHODODENDRON CAUCASICUM 255
ADAPTÓGENO: RHAPONTICUM CARTHAMOIDES "LEUZA" 259
ADAPTÓGENO: ASHWAGANDHA 261
CAUCASIAN BLUEBERRY LEAVES 263
EL SUPLEMENTO "GUGGUL" 265
EL AMINOÁCIDO L-TYROSINE................................. 269
EL SUPLEMENTO CoQ10 271
ACEITE DE COCO ORGÁNICO.................................. 273
PROTEÍNAS DE WHEY 279
RESUMEN FINAL... 285

SUPLEMENTOS ESPECIALES: METABOFORTE™ 289

LA BÚSQUEDA DE LO QUE PRODUCE BUENOS RESULTADOS 291
EL SUPLEMENTO RELAX SLIM™ 297
COCO-10 PLUS™... 301
METABOLIC PROTEIN™ 307
EL SUPLEMENTO STRESS DEFENDER ANGEL™.................... 311
METABOLIC VITAMINS™..................................... 313
EL PROGRAMA DE LIMPIAR HONGOS "CANDISEPTIC™ KIT" 315
EL SUPLEMENTO THYROL™................................... 317
SUPLEMENTOS DE POTASIO Y MAGNESIO...................... 321
GLOSARIO – DEFINICIONES DE LAS PALABRAS 325
LECTURAS RECOMENDADAS Y RECURSOS DE INFORMACIÓN 331
ÍNDICE 337

INTRODUCCIÓN

La realidad material de nuestro cuerpo dicta pautas ineludibles de orden genético y metabólico. Se ha evidenciado que a través de los tiempos el ser humano se adapta de manera gradual mediante cambios en su metabolismo en respuesta a sus costumbres y cultura alimentaria. Además, nuestro cuerpo necesita de actividad física para su buen funcionamiento y así regular el balance energético que redunda en un peso y composición corporal saludable.

La transformación de nuestro imaginario[1] sobre el peso y nuestra forma corporal saludable ha sufrido un cambio radical en el último siglo; a principios del siglo pasado se entendía que la composición corporal con alto contenido graso era sinónimo de salud y abundancia, mientras que hoy día se entiende que el estar delgado y en forma o con una composición corporal con un bajo contenido de grasa corporal asegura una vida saludable y distanciada de los procesos patológicos[2] y de enfermedad.

Como seres sociales nos desarrollamos y funcionamos dentro de un modelo o sistema socio-económico que en las últimas décadas ha incrementado la promoción y publicidad de productos alimentarios que facilitan el incremento de tejido graso en la masa corporal. Las consecuencias de dicho desenfreno han llevado a la obesidad a niveles epidémicos, tanto en niños como en adultos. Por otro lado, la promoción y mercadeo de remedios rápidos y supuestamente milagrosos para perder peso y disminuir el tejido graso también ha encontrado su mercado, pero con resultados peligrosos, transitorios e inapropiados.

---

[1] imaginario: que existe sólo en la imaginación.
[2] patológicos: que indican o constituyen una enfermedad.

Como cirujano plástico, he podido apreciar la magnitud del problema dietético metabólico, que por lo general está acompañado de la inactividad física. Además, el efecto psicológico de una percepción de sí mismo que tiende a disminuir la autoestima y facilita el desarrollo de una apatía y depresión que no permiten salir del entrampamiento del sobrepeso y la obesidad. Mis pacientes en la búsqueda de mejorar su autoestima solicitan procedimientos quirúrgicos cosméticos, para los cuales en ocasiones no son buenos candidatos, debido al alto contenido de tejido graso corporal. Es así que se hace necesario un sistema que a la vez que controle el peso, disminuya la masa de grasa corporal y mejore la salud en general. Ese sistema requiere la adquisición de conocimiento y entendimiento de los procesos alimentarios y rutinas dietéticas – tanto en calidad, cantidad y frecuencia – para que pueda lograr resultados efectivos, persistentes y saludables.

A través de su práctica y trayectoria investigativa, Frank Suárez ha logrado por más de una década resultados exitosos mediante la educación nutricional saludable, motivación y seguimiento efectivo. Este proceso de lucha y persistencia ha madurado con la publicación de *El Poder del Metabolismo*, que nos brinda la oportunidad de comprimir más de diez años de experiencia y práctica efectiva de un método sistemático y dinámico para lograr resultados en lo que respecta al sobrepeso, obesidad y optimizar nuestra salud mediante el entendimiento de nuestro metabolismo.

INTRODUCCIÓN

Es importante entender que no hay una salida fácil o rápida a los problemas de obesidad y sobrepeso. Por lo tanto, el conocimiento de nuestro metabolismo es una herramienta útil y necesaria para una vida energética y saludable. Frank en este libro logra integrar conocimientos prácticos que toda persona debería poseer.

Dr. Carlos Portocarrero
Cirujano Plástico

UN PROBLEMA GIGANTE

NOTAS DEL AUTOR

Mi propósito es llevar un mensaje que sirva para mejorar o recuperar la energía, el metabolismo y la salud en general. El mensaje escrito se comunica a través de las palabras. Las palabras tienen significados que no siempre son conocidos para todos nosotros.

Es por eso que hago lo posible por evitar las palabras técnicas o los términos médicos. Siempre que me veo forzado a utilizar una palabra técnica me aseguro de proveer también la definición de ella para que la persona no pierda el interés en el tema y lo pueda entender. En realidad "el conocimiento es poder" pero el conocimiento se adquiere a través de las palabras del lenguaje.

Cuando me veo obligado a utilizar una palabra que entiendo pudiera ser malentendida la he marcado con el símbolo † y la incluyo en las definiciones que están en la sección de GLOSARIO - DEFINICIONES DE LAS PALABRAS que empieza en la página 325. La idea es que usted pueda localizar las palabras nuevas que trae este tema en el glosario sin necesidad de utilizar un diccionario médico o especializado. No obstante, es siempre una buena idea el tener un buen diccionario accesible porque aun una simple palabra de nuestro lenguaje común que no se entienda le puede quitar el interés en lo que usted lee.

Lo mismo pasa con el lenguaje. Muchas de las palabras que se utilizan son más fáciles de entender en Inglés que en Español. Ejemplo: el cuerpo humano produce una hormona que en español se llama *glucocorticosteroide* y que es la hormona asociada a las condiciones de estrés. En inglés esta hormona se llama *cortisol* y naturalmente es muchísimo más fácil hablar de *cortisol* que de *glucocorticosteroide*. Como mi propósito principal es que el mensaje llegue a los lectores, elegí usar la palabra que sea más fácil de entender y recordar con el permiso de los expertos de la lengua española.

Desde mi punto de vista tanto las palabras como el lenguaje son sólo herramientas para la comunicación de las ideas y el conocimiento. En ese sentido las palabras y el lenguaje son menos importantes que el CONOCIMIENTO.

ERA UN PROBLEMA PERSONAL

Desde muy joven tuve problemas con mi peso. Siempre fui "gordito". Estudié la escuela superior en una escuela militar de varones y allí los compañeros se mofaban de mí por mi obesidad. Me tenían un nombre no muy agradable (no se puede imprimir) que tenía que ver con una parte de mi cuerpo.

Como era "gordito", lento y pesado no participaba en ningún deporte de mi escuela. Me acostumbré a la idea de ser un simple observador de los deportes.

La vida social que recuerdo de esa época estaba llena de rechazos, incluyendo el de las muchachas que bailaban conmigo solamente porque yo tenía mucha habilidad para bailar, aunque era "gordito". Más allá de lograr que bailaran conmigo se me hacía difícil iniciar una relación. De una forma u otra me sentía como un ser atrapado en grasa y con los años aprendí a aceptarlo como algo inevitable.

Por suerte tenía habilidades con la música. Aprendí a tocar el saxofón y de esa forma logré llamar la atención de algunas chicas. Con el tiempo entablé una relación, me casé, tuve 4 hijos y continué mi vida profesional, pero siempre sintiéndome más "gordo" y pesado de lo común.

Unos 25 años después que dejé la universidad y empecé a trabajar había seguido poco a poco ganando peso. No solamente estaba 40 libras sobrepeso sino que, para colmo, mi médico, un amigo personal, me advirtió que mi presión arterial, mi colesterol[†] y mis triglicéridos[†] estaban fuera de control. Inclusive me advirtió que estaba a punto de desarrollar diabetes.

Estas advertencias tan severas de mi amigo y doctor me hicieron reaccionar y decidí hacer algo al respecto. Poco sabía en aquel entonces lo que me esperaba.

Busqué ayuda profesional. Hice una dieta de controlar las calorías y bajé 20 libras de peso, pero pasando algo de hambre, porque esa dieta era una de esas dietas de siempre comer menos que lo que el cuerpo me pedía. La "fuerza de voluntad" era un elemento vital para llevarla acabo. Aunque ya había bajado 20 libras y sólo me quedaban 20 más para llegar a mi meta, eventualmente me quité de la dieta porque me estanqué en el peso y aunque hiciera la dieta simplemente no bajaba más. Me desanimé y la dejé. En los próximos 3 meses aumenté las 20 libras que había perdido y otras 10 o 12 libras más. O sea, había rebotado como un yo-yo.

Unos meses después decidí tratar la dieta vegetariana y me volví vegetariano. Bajé de peso, pero nuevamente llegó un punto donde se estancó la pérdida de peso y me sentía débil. Otra vez me desanimé y dejé la dieta. En poco tiempo volví a aumentar lo perdido y algo más.

Tiempo después hice otros intentos, incluyendo ponerme a trotar ("*jogging*"), lo cual me hizo rebajar muchísimo. Hasta que un día tuve una lesión corriendo y dejé de correr. El peso regresó para atrás "más rápido que ligero".

Mi propósito de bajar de peso se había vuelto una tortura constante. Aun así seguí intentando otras dietas y sistemas. Una de las dietas que traté fue la famosa dieta Atkins que era una dieta de comer sólo carne y grasa. En esa dieta bajé muchísimo, 35 libras, pero un día me dio un mareo y desperté en la sala de emergencia. Después de ese susto algo me decía que una dieta de pura carne y grasa no podía ser algo saludable para mí.

Luego del susto con la dieta Atkins decidí que tenía que entender mejor el tema de mi metabolismo[†]. El deseo de bajar de peso se había convertido casi en una obsesión y no estaba dispuesto a darme por vencido. Me di a la tarea de estudiar el tema del metabolismo y todo lo relacionado a la nutrición, digestión y cualquier otro tema que de alguna forma pudiera ayudarme a entender y resolver mi obesidad. El tema de la obesidad se transformó en mi "hobby" y mi único tema de interés fuera de mi familia y mi trabajo.

Recuerdo que estuve por lo menos 8 años leyendo e investigando TODO lo que pudiera conseguir sobre las dietas, la obesidad, el metabolismo, la biología del cuerpo, las células, la digestión y mil otros temas relacionados. Pasaba largas horas en Internet. Compré cientos de libros sobre dietas, nutrición y metabolismo. Exploré los aspectos médicos de la obesidad para ver si era alguna enfermedad que me la causaba. Estudié temas como la física nuclear y el magnetismo para ver si encontraba alguna pista que me ayudara.

La búsqueda de las causas y de las soluciones a la obesidad se convirtió en lo primordial en mi vida. Los temas de la obesidad y el metabolismo eran un verdadero reto para mí. Salía de mi trabajo de ventas y me encerraba a leer y a estudiar. Hacía anotaciones, abría archivos por tema, escribía mis pensamientos y conclusiones. Hice experimentos con mi cuerpo tomando distintos suplementos y hierbas naturales para ver si daba con aquellos que me pusieran "flaco".

Poco a poco y casi sin darme cuenta fui bajando de peso hasta perder las 40 libras de más que en un momento llegué a tener. Para ese entonces mis análisis de laboratorio salieron todos normales. La presión arterial se puso normal, los triglicéridos y el colesterol también. Pero, además de bajar de peso y recobrar la salud me di cuenta de que el conocimiento de tantos temas relacionados a la obesidad me había transformado, ya que empecé a ver que en el cuerpo humano "todo está relacionado con todo". Entendí que la obesidad no se podía vencer desde la única y limitada perspectiva de la comida. Dejar de comer o comer menos no necesariamente resuelve el problema de la obesidad. Encontré que son <u>múltiples factores</u> los que reducen el metabolismo y causan la obesidad. No es un sólo factor, la comida, como pudiera pensar alguien que fue educado como nutricionista. Descubrí el METABOLISMO.

Mis conocidos y amistades observaron que bajé mucho de peso y muchos de ellos se interesaron en preguntarme qué hice para lograrlo. Se me ocurrió escribir un resumen de mis descubrimientos y cada vez que alguien me preguntaba cómo lo había logrado, simplemente le daba el resumen escrito de 7 páginas para que lo aplicara. Pensé que dar el resumen escrito con mis recomendaciones para bajar de peso resolvía el problema de tener que explicar todo lo que había descubierto al respecto. Fue una equivocación. El resumen escrito le funcionaba a la gente pero también les abría otras múltiples dudas al respecto y siempre terminaban llamándome para hacer una "consulta personal". Esto pasaba quizá porque el tema de las dietas y el metabolismo es el tema más lleno de fracasos y desilusiones del planeta. La mayoría de la gente ha fracasado en varios intentos de bajar de peso. Así que cuando leen algo que les ofrece esperanza se les revuelcan las mil y una contradicciones de lo que han leído y oído sobre el tema, más el recuerdo de sus propios fracasos al respecto.

El campo de la obesidad y el metabolismo es uno controversial, donde existen miles de distintos "expertos" con certificaciones, diplomas y títulos, y que curiosamente se contradicen los unos a los otros con abandono total. Mi observación personal es que el público en general termina en un estado de confusión total al tener tantas opiniones expertas que se contradicen entre sí. Unos "expertos" hablan de calorías, mientras otros dicen que es la grasa, otros invitan al vegetarianismo y aun otros dicen que la obesidad es una enfermedad y pretenden tratarla con medicamentos. Algunos aseveran que lo único que sirve es el ejercicio físico y aun otros que no tienen soluciones culpan todo el problema de la obesidad a los factores hereditarios. En fin, no existen soluciones claras.

La cantidad de gente que me llamaba para pedir mi ayuda seguía creciendo ya que algunos se habían dado a la práctica de sacarle copia a mi escrito de recomendaciones y pasárselo a sus familiares y amistades. Cada vez me llamaba más gente e inclusive, me llamaban de sitios lejanos a donde había llegado una copia de mi escrito. Algunas de estas personas ya estaban en un estado de desesperación porque habían tratado todo y no encontraban una solución a su problema de obesidad. Varias personas, sobre todo mujeres, ya estaban afectadas emocionalmente por el constante fracaso de sus dietas más las acusaciones y las críticas de los que no entienden del tema del metabolismo que les acusan de "glotonas".

Las constantes llamadas y "consultas personales" me hicieron entender que había tocado una llaga. La obesidad es un tema emocional lleno de fracasos, confusión e información incompleta. Decidí crear una empresa para dedicarme ayudar a estas personas a vencer su obesidad. Fue casi una locura porque no tenía un título ni de nutricionista ni de doctor. Sólo tenía mis conocimientos y los buenos resultados que invariablemente obtenían los que me consultaban. Lo tomé como un nuevo reto y cree Natural Slim™ (www.rebajar.com). Le llamé a Natural Slim™ "*el peso que se fue para siempre*" porque mi intención es cambiar los conocimientos y el estilo de vida de los miembros del sistema. La experiencia me había demostrado que lo único que duraba para siempre era el CONOCIMIENTO. Decidí que Natural Slim™ sería un centro de conocimiento donde miles de personas se educarían sobre el tema de la obesidad y el metabolismo. Aposté a que el conocimiento sería más valioso y útil a largo plazo que cualquier suplemento o comida congelada. Aposté también a que el conocimiento sobre las causas de la obesidad y sus soluciones provocarían un cambio en las personas porque al saber sobre estos temas su conciencia les molestaría si no hacían lo correcto. Fue una locura, pero salió bien, Natural Slim™ se hizo todo un éxito porque produce lo más deseado: RESULTADOS.

En mi propio caso habían logrado resultados que no solamente se reflejaban en mi peso y en mi cintura. Eran resultados que demostraban una mejoría significativa en mi salud. Había dejado de ser un "gordo" cansado y sin energía para convertirme en alguien esbelto y lleno de entusiasmo. Había recuperado mi metabolismo y mi salud.

ANTES	DESPUÉS
COLESTEROL 290 (Nivel Alto)	COLESTEROL 140 (Normal)
TRIGLICÉRIDOS 345 (Nivel Altísimo)	TRIGLICÉRIDOS 90 (Normal)
PRESIÓN 140/100 (Alta)	PRESIÓN 120/80 (Normal)
PESO 207 Libras	PESO 166 Libras
CINTURA: 41	CINTURA: 35

Algunos amigos me recomendaron que no les diera el conocimiento completo a los miembros del sistema Natural Slim™ porque si lo hacía ya no nos necesitarían. Es lógico pensar que el que aprende su lección en la universidad eventualmente deja de necesitar los estudios universitarios. Me resistí a esa idea de restringir la educación a nuestros miembros porque pensé que las cosas que había descubierto en realidad producían tan buenos resultados que los mismos miembros del sistema nos recomendarían a sus familiares y conocidos. Viendo las estadísticas nacionales sobre la obesidad, las cuales cada año van más en aumento, me di cuenta de que no me quedaría sin clientes potenciales en un buen rato. Decidí darle a cada miembro de Natural Slim™ una educación completa sobre su metabolismo confiando en que, al ellos aplicarlo, los resultados positivos que producirían atraerían a otras personas que también deseaban bajar de peso y recobrar su metabolismo. Por suerte, así fue. Natural Slim™ tiene más de 10,000 miembros y sigue creciendo. No hay verdad más grande: ¡los clientes contentos son la mejor publicidad!

Ahora, Natural Slim™ es un sistema completo donde la tecnología de recobrar el metabolismo y la energía del cuerpo se ha desarrollado a un punto óptimo y es casi imposible que una persona no baje de peso en el sistema Natural Slim™. Hoy en día decenas de médicos refieren a sus pacientes a Natural Slim™ cuando desean que bajen de peso de forma natural. Muchos de los médicos que nos recomiendan han sido miembros del sistema Natural Slim™ y vinieron a nosotros motivados por los resultados que veían en sus pacientes.

Tengo que decir que pienso que no existe ningún trabajo que provea más satisfacción que mi trabajo como Director Ejecutivo de Natural Slim™. Constantemente tengo la oportunidad de ver cómo los miembros del sistema Natural Slim™ adelgazan y mejoran su salud tan notablemente que en muchos casos ya no necesitan usar medicamentos recetados. Casi todas las semanas vemos diabéticos que ya no necesitan inyectarse insulina y personas que estaban muy débiles y enfermas que hoy en día han recobrado la totalidad de su salud. El trabajo en Natural Slim™ es un trabajo muy gratificante, lleno de las grandes satisfacciones de poder ayudar a otros.

Este libro, *El Poder del Metabolismo*, está orientado a todas aquellas personas que deseen tomar el control de su peso de forma natural y saludable. Si usted desea reducir su talla de ropa este libro definitivamente le ayudará. Si desea mantenerse en un peso adecuado, aquí encontrará las verdades que le permitirán hacerlo. Pero, en honor a la verdad, debo decir que para las personas que han experimentado muchísima dificultad para bajar de peso es posible que se requiera una ayuda intensiva y personalizada como la que provee Natural Slim™, donde nos especializamos en "casos difíciles". Por ejemplo, en Natural Slim™ hay tratamientos naturales contra hongos y parásitos que no se pueden proveer en un libro y hemos visto que algunas personas no pueden bajar de peso porque sus cuerpos están severamente infectados de organismos parasíticos. Natural Slim™ ofrece ayuda hormonal natural para aquellas damas cuya menstruación irregular refleja un desorden hormonal. En algunos casos las personas no bajan de peso porque tienen problemas digestivos y ese es otra área en la que Natural Slim™ ofrece ayuda. Por otro lado, Natural Slim™ provee un seguimiento y una motivación personal que resultan vitales para las personas cuyos múltiples fracasos les han reducido la autoestima y la perseverancia. Si un ser fracasa demasiadas veces en su esfuerzo por bajar de peso tiende a darse por vencido con demasiada facilidad porque se les han violado sus esperanzas demasiadas veces. Es la naturaleza humana.

Entonces, este libro comunica unas verdades que producen unos beneficios palpables en las personas que las practican. No se garantizan los resultados porque no sería honesto garantizarlos. Hay personas que tienen condiciones de salud que dificultan el adelgazar. Lo que sí se garantiza es que estas verdades han sido aplicadas por más de 10,000 personas con resultados excelentes y a veces excepcionales para la gran mayoría. Si aún después de aplicar estos datos a su nutrición y a su vida usted nota que su cuerpo simplemente se resiste a bajar de peso convendría que usted reciba una orientación gratis del sistema Natural Slim™ (www.rebajar.com), que ofrece una ayuda personalizada más completa, lo que generalmente logra buenos resultados aun para los "casos difíciles".

Estos temas, obesidad y metabolismo, eran un "problema personal" que yo tenía. Hoy en día son mi vida y me llenan con la enorme satisfacción de haber ayudado a miles de personas a salir de esa trampa de grasa llamada "obesidad". Definitivamente, no existe mejor satisfacción que la de ayudar a otros.

SOBREPESO Y OBESIDAD – EPIDEMIAS

El sobrepeso y la obesidad han crecido a proporciones epidémicas. Por lo menos así lo considera el Departamento de Salud del gobierno de los Estados Unidos.

Se calcula que un 65.2% de la población está sobrepeso y que un 24.7% (1 de cada 4 personas) está ya en obesidad. El término "obesidad" no quiere decir lo mismo que "sobrepeso". "Obesidad" quiere decir estar por lo menos 20% más arriba del peso normal para nuestra estatura. Todas las personas obesas están sobrepeso, pero no todos los que están sobrepeso están obesos.

Lo cierto es que estos números estadísticos sobre la población vienen empeorando cada vez más. Por ejemplo, vea esta gráfica:

Fuente: National Health and Nutrition Examination Survey Data. Hyattsville, MD

Inclusive, la obesidad infantil ha tenido un aumento constante desde hace décadas y lo mismo ha pasado con la diabetes infantil. Se ha demostrado que existe una relación directa entre el sobrepeso y la diabetes. Se calcula que más del 85% de los diabéticos están sobrepeso. Cualquier diabético que logre adelgazar experimentará una mejoría sustancial en su condición de diabetes.

La Asociación Americana del Cáncer ha publicado estudios que demuestran una incidencia de cáncer muchísimo más alta en las personas que están sobrepeso. Por mencionar algunos ejemplos, las mujeres sobrepeso experimentan un 112% de incidencia mayor de cáncer en los senos. Los hombres sobrepeso experimentan un 352% más de incidencia de cáncer del hígado. (fuente: NAASO, *The Obesity Society, Study on Obesity*) O sea, estar sobrepeso es un verdadero riesgo a la salud.

En resumen, podríamos decir sin temor a equivocarnos que se está perdiendo la batalla contra la obesidad a nivel nacional. Cada vez hay más gente obesa. Como la obesidad está relacionada a las condiciones de alta presión arterial, altos triglicéridos, alto colesterol y diabetes, las estadísticas también reflejan aumentos anuales en estas condiciones. Las ventas de medicamentos para estas condiciones son un buen indicador de la magnitud del problema. En los últimos 10 años, las compañías farmacéuticas han roto su propio récord de ventas de los medicamentos asociados a estas condiciones. Es una pena decirlo, pero la gente obesa y enferma es un buen negocio para las farmacéuticas.

Todo esto está pasando mientras nuestras tiendas de comidas están cada vez más repletas de alimentos "sugar free" (libres de azúcar), "*fat free*" (libres de grasa), "*low fat*" (bajos en grasas) y "*low calorie*" (bajos en calorías). Un dato curioso es que los estudios estadísticos del gobierno federal como el NHANES (*National Health and Nutrition Examination Survey*) reflejan que actualmente consumimos como un 19% menos de grasa que hace 40 años y sin embargo estamos un 47% más sobrepeso que en esa época.

Cuando entienda usted la forma en que el cuerpo crea la grasa se dará cuenta de que nuestra población no está más sobrepeso que antes debido a que comamos más grasa que antes. Hay otras razones que están aumentando la proporción de grasa en nuestros cuerpos y se discutirán bajo el tema de "Cómo se crea la grasa en el cuerpo". Son datos que todo el que quiera evitar o vencer el sobrepeso y la obesidad debe saber.

Por último, debemos ver que el futuro de nuestra juventud es cada vez más incierto debido a la epidemia de sobrepeso y obesidad. Ya hay cientos de miles de niños y niñas que necesitan usar medicamentos recetados para controlar su alta presión y sus altos niveles de colesterol. Estamos criando una nueva generación de cuerpos débiles, grasosos y flácidos que sólo tiene energía para jugar los juegos electrónicos. Les estamos dando un malísimo ejemplo de lo que deberían aprender sobre la alimentación y el cuidado de sus cuerpos. Hasta la alimentación en los comedores escolares es desastrosa con porciones de pizza, "*hot dogs*" y otras comidas que más que alimentos podrían llamarse "desalimentos".

Se habla de que la obesidad tiene un cierto factor hereditario. Estoy de acuerdo, en cierta medida. Concuerdo en que existe un fuerte factor hereditario, pero este factor hereditario no tiene nada que ver con nuestros genes o cromosomas. Sino con el hecho de que los malos hábitos se heredan de los padres a los hijos. Una familia con malos hábitos engendra y cría hijos con malos hábitos. Todos los cientos de niños sobrepeso con los que he trabajado vivían en hogares donde la alimentación y el estilo de vida poco saludable eran causas obvias de la obesidad del niño.

Es evidente que ninguno de nosotros tiene el poder para cambiar la totalidad de la sociedad. No obstante, cada uno de nosotros sí tiene el poder de mejorar el conocimiento y la responsabilidad con la que se alimentan nuestros seres queridos. Si cada uno se hace responsable de mejorar a su propia familia cercana y si todo el mundo hiciera lo mismo, en muy poco tiempo habríamos mejorado a toda la sociedad. Lo que es cierto es que si no hacemos nada al respecto, ni siquiera con nuestros seres queridos, habremos sido cómplices de la creación de estados de salud deficientes para nuestros seres queridos y sus futuras generaciones.

LAS DIETAS - EL REINO DE LAS CONTRADICCIONES

Hay temas que son controversiales por naturaleza. Temas como la política o la religión. Pero el tema de las dietas, además de ser controversial, está lleno de contradicciones. Las contradicciones entre las distintas dietas van desde comer mucha grasa, mucha proteína y casi ninguna cantidad de carbohidratos (dieta del Dr. Atkins) hasta la recomendación exactamente contraria de comer ninguna grasa, ninguna o poquísima proteína y montones de carbohidratos (dieta *Pritikin*). Son contradicciones entre si. Como resultado de esto el público generalmente está en confusión con el tema de las dietas.

La realidad es que cuando una persona va a una librería con la idea de buscar un libro que le recomiende qué tipo de dieta debe hacer puede quedar en total confusión al encontrarse con una variedad interminable de distintas dietas. Cada una de ellas se recomienda como "la mejor dieta". Muchos de los libros son escritos por personas con diplomas en medicina, nutrición, física o química. Todos recomiendan algún tipo de dieta que habrá de solucionarlo todo para la persona que desea bajar de peso. Son enfoques tan variados como control de calorías, reducción de grasas, vegetarianismo, dietas de jugos de frutas, dietas de eliminar los lácteos o el trigo, dietas de consumir sólo productos en su estado natural y dietas de otros mil tipos más. En fin, confusión.

Luego están las dietas de moda: "Atkins diet", "Scarsdale diet", "Pritikin diet", "South Beach diet", "Sugar Busters diet", "Caveman diet" y la lista sigue, y se hace interminable.

En mi búsqueda para encontrar cuál dieta funcionaba mejor para yo adelgazar pienso que las probé prácticamente todas. Encontré que la dieta que mejor me hacía bajar de peso era la dieta del Doctor Atkins que es una dieta baja en carbohidratos. Pero, noté que esa dieta también me producía una debilidad horrible. Inclusive me enfermé. Finalmente llegué a la conclusión de que es una dieta extrema que no se puede utilizar como "estilo de vida" porque es demasiado limitada en selección de alimentos y utiliza demasiadas carnes rojas y tocineta que no necesariamente son el mejor tipo de alimento para el cuerpo.

Buscando y buscando alternativas me interesé en observar que la gente del mar mediterráneo tiene las estadísticas más bajas de obesidad y de problemas del corazón. Eso me dejó saber que debería observar el tipo de alimento que comen en el área del mediterráneo[1]. Observé también que la dieta del mar mediterráneo permite comer de todo pero sin abusar de los carbohidratos refinados como el pan, el arroz y el azúcar. En el mediterráneo se come mucho pescado y mariscos, mucha ensalada y un pan muy duro que contiene mucha fibra. Allá se toma vino, se come queso a diario y se utilizan jamones como el *"prosciutto"* que es como un tipo de jamón "serrano". En esa área la gente no utiliza grandes cantidades de azúcar. En esos países disfrutan de la mantequilla y prácticamente todo lo cocinan con aceite de oliva. Pensé que podía aprender de ellos.

Estuve experimentando con distintas proporciones de alimentos y encontré que si reducía los carbohidratos refinados (pan, harina, arroz, papa, dulces, azúcar, etc.) podía adelgazar sin la necesidad de eliminar totalmente los carbohidratos. Me di cuenta de que era más bien una cuestión

---

[1] El "mediterráneo" se refiere al área donde está el "mar mediterráneo" donde se localizan los países como Italia, Grecia, Israel y Egipto.

de la CALIDAD de los carbohidratos que de la cantidad de los carbohidratos. Observé que si reducía los aceites industriales como maíz y vegetal y los substituía con aceite de oliva podía adelgazar. El uso de los vegetales y las ensaladas se convirtió también en una ayuda. Encontré que un régimen moderado de reducción de carbohidratos refinados acompañado de buenas proteínas (pollo, pavo, pescado, mariscos) y mucha agua producía una sensación de bienestar notable.

Después, cuando creé Natural Slim™, apliqué estos conocimientos y empecé a ver resultados impresionantes en las personas que se alimentaban de esta forma. Persona tras persona la grasa se estaba yendo del cuerpo y la persona se sentía siempre con mucha energía y sin experimentar hambre ni ansiedad.

Así que el concepto básico de una dieta mediterránea fue lo que me funcionó con miles y miles de personas. Buenas proteínas (carnes, pescado, mariscos, proteína de whey[†]), vegetales, ensaladas, queso, huevos y poco pan, poca harina, poco arroz, pocos almidones (papa, yuca, yautía, etc.) y poca azúcar. Descubrí que no tenemos que "prohibirnos" nada. Es cuestión de evitar o reducir aquellos alimentos que reducen el metabolismo y más nos hacen engordar: los carbohidratos refinados.

¿QUÉ COSA REALMENTE ES EL METABOLISMO?

Cantidad de gente se queja de tener un "metabolismo lento" pero realmente, ¿qué cosa es el metabolismo?

Las definiciones en el diccionario de la palabra metabolismo pueden ser bastante técnicas o complejas. Ofrezco a los lectores la siguiente definición básica de "metabolismo" que encuentro fácil de entender:

Metabolismo: la suma de todos los movimientos, acciones y cambios que ocurren en el cuerpo para convertir los alimentos y los nutrientes en energía para sobrevivir.

Son muchos los procesos, movimientos, acciones y cambios que el cuerpo humano realiza para poder sobrevivir: digestión, absorción, respiración, sistema inmune (defensa), circulación, eliminación, etc. Cada uno de estos procesos tiene algo en común: *movimiento*. El movimiento siempre conlleva el uso de energía. Sin energía no hay movimiento. La materia, toda, está compuesta de energía en *movimiento*. Aunque no podamos a simple vista ver los átomos que componen la materia al moverse en sus constantes órbitas sigue siendo cierto que toda la materia está compuesta de átomos que están en *movimiento*.

El cuerpo humano está compuesto de materia. Son componentes como agua, grasa, proteínas[†], carbohidratos[†] y minerales. Todas estas materias están animadas por la vida que hay en nosotros pero a su vez responden a las leyes de la física y los átomos. Los organismos vivos, para sobrevivir, deben poder tener *movimiento*. Pero el *movimiento* deberá ser un *movimiento* ordenado y a un *ritmo* adecuado. Ejemplo: si nuestro corazón va a un *ritmo* demasiado lento sería un riesgo casi igual de severo que si va a un *ritmo*

23

demasiado rápido. Para sobrevivir, el cuerpo humano necesita tener *movimiento* pero este *movimiento* deberá ser a un *ritmo* adecuado, ni muy lento ni muy rápido.

El metabolismo es la suma total de todos los *movimientos* que el cuerpo ejecuta para poder existir como cuerpo. Cuando decimos que tenemos un "metabolismo lento" en realidad estamos diciendo que el *movimiento* del cuerpo no está ocurriendo al *ritmo* óptimo.

Existen factores de salud, de nutrición y de estilos de vida que reducen el *ritmo* del *movimiento* de los procesos del cuerpo. Existen también otros factores que agilizan, aceleran y contribuyen a aumentar el *ritmo* del *movimiento* de los procesos del cuerpo.

La gente asocia el llamado: "metabolismo lento" con una fuerte dificultad para bajar de peso. No obstante, tener un "metabolismo lento" es algo que puede llegar a ser realmente peligroso. Esto es debido a que cuando el metabolismo es demasiado lento <u>todos</u> los procesos del cuerpo también son lentos y ello se puede reflejar en estreñimiento, acumulación de tóxicos, mala circulación, muchas infecciones, mala digestión, sobrepeso y obesidad, entre otras.

El Poder del Metabolismo trata sobre cómo reconocer estos factores y cómo utilizar los conocimientos al respecto para mejorar nuestro metabolismo y con él nuestra salud.

EL FAMOSO "METABOLISMO LENTO"

Las estadísticas no mienten. La gran mayoría de la población está sobrepeso y una de cada cuatro personas ya está en una condición de obesidad. El mayor problema es que la tendencia es clara: la situación continúa empeorando año tras año.

Se calcula que en cualquier momento del año más del 30% de la población está haciendo algún tipo de dieta, ejercicio o esfuerzo por bajar o controlar su peso. Sin embargo, estamos perdiendo la batalla; cada vez estamos más gordos y más débiles.

Muchas de las personas que han tratado varias de las distintas dietas de moda ya se dieron por vencidas porque observaron que hacen el esfuerzo y ven muy pobres resultados. Otros se deprimen al ver cómo algún familiar o conocido que es flaco come de todo lo que ellos no pueden comer y sin embargo sigue siendo un flaco esquelético, aunque coma dulces, chocolates y mantecado todos los días.

Es algo ilógico porque por alguna misteriosa razón algunos de nosotros engordamos "hasta de mirar la comida". A este fenómeno se le ha llamado el "metabolismo lento". El término "metabolismo lento" se ha popularizado a tal nivel que cualquier persona que observe que engorda con mucha facilidad o que tiene gran dificultad para bajar de peso lo usa para describir su condición aunque no pueda explicarse lo que la palabra "metabolismo" quiere decir. Para la población "metabolismo lento" quiere decir "como poco y engordo mucho".

Si miramos las estadísticas nacionales de sobrepeso y obesidad tenemos que concluir que se hace obvio que el número de personas que experimentan el famoso "metabolismo lento" tiene que estar aumentando. Faltaría ahora entender cuáles son los factores que reducen el metabolismo para convertirlo en un "metabolismo lento". Si conociéramos los factores que reducen el metabolismo hasta convertirlo en un "metabolismo lento" entonces pudiéramos no sólo evitar el "metabolismo lento" sino también recuperar el metabolismo para llevarlo a un punto óptimo de salud y energía.

Esto me hace recordar que hace poco hablaba con una joven muy bonita de cara que sujetaba en sus brazos a un hermoso bebé. La joven me comentaba de su gran dificultad para bajar de peso. Me explicaba que antes de tener a su bebé podía comer de todo y siempre mantenía la figura. Me enseñó fotos de ella donde lucía una esbelta talla 4 y con lágrimas en los ojos me dijo "ahora soy talla 10 y nada me queda bien". La angustia era evidente. Algo pasó que ahora ella dice "tengo un metabolismo lento". También me recuerda al señor diabético que estaba por lo menos 60 libras sobrepeso y que me comentaba "yo era un flaco de esos que come como un cáncer y no engorda". Hoy en día ese flaco estaba obeso y se quejaba de tener un "metabolismo lento".

¿Cuáles son los factores que reducen el metabolismo y lo vuelven un "metabolismo lento"? Eso lo veremos a continuación. Pero, lo más importante es observar las soluciones. O sea, lo que podemos hacer para recuperar lo máximo de nuestro metabolismo.

Después de haber trabajado con más de 10,000 personas para ayudarlas a recuperar su metabolismo puedo adelantarles que <u>son varios los factores que reducen el metabolismo</u>. El metabolismo ágil con el que casi todos nacemos puede sufrir daño si no lo cuidamos. Una vez que ha sufrido daño podría llamársele "metabolismo lento". No todo el daño causado al metabolismo es recuperable pero una buena parte sí lo es. Es decir, si no podemos recuperar el 100% del metabolismo de cuando éramos más jóvenes, sí podemos recuperar una parte sustancial aplicando los conocimientos correctos. Entonces, hay esperanza para todos a cualquier edad. He visto a una señora de 72 años aplicar los conocimientos correctos para subir su metabolismo y lograr bajar de una talla enorme (talla 22) hasta una elegante talla 10. Su familia no lo podía creer, la señora antes sólo andaba con la ayuda de un bastón y hoy camina 1 milla, 3 veces en semana, sin ninguna ayuda y llena de energía y entusiasmo.

Existen, por supuesto, algunos "expertos" que insisten en la idea fija y equivocada de que toda persona que esté sobrepeso u obesa es sólo porque consume demasiadas calorías. Generalmente se aferran a esta idea simplista de que la nutrición es la única área que existe para lograr adelgazar y sentirse bien. Son personas que ciertamente pueden tener buenas intenciones pero seguramente no tienen la habilidad de observar los otros múltiples factores que afectan el metabolismo de una persona. A veces la necesidad de "estar en lo correcto" de nuestros profesionales de la salud opaca su propia curiosidad y su sentido común. En mi caso, como era víctima de mi propia obesidad no me podía dar el lujo de cerrarme a esa idea de que sólo pasando hambre y "contando calorías" podía adelgazar. Mi salud mental y mi autoestima estaban en juego con este tema del metabolismo.

El "metabolismo lento" no tiene que ser una condena de por vida. El metabolismo, en gran parte, se puede recuperar si dejamos de hacer aquellas cosas que lo reducen y empezamos a hacer aquellas otras que lo aceleran.

DATOS RELEVANTES Y DATOS VITALES

Podría decirse que existe una gran cantidad de datos (información, conocimientos) que se necesitan saber para lograr que un "metabolismo lento" deje de ser "lento" y tenga un ritmo más acelerado. Estos datos se pueden clasificar en dos tipos:

- Datos relevantes

- Datos vitales

Los datos "relevantes" son los datos de aquellas cosas que tienen que ver con el metabolismo y con vencer el sobrepeso, que tienen utilidad demostrada en el propósito de mejorar nuestro metabolismo. Son datos que tienen alguna relevancia o asociación con el tema. O sea, datos como el beneficio que produce un régimen de ejercicio moderado, la ventaja de utilizar carnes blancas (pollo, pavo, pescado) en vez de carnes rojas (res, cerdo), el tipo de agua que nos sube el metabolismo (del grifo, destilada, de manantial, filtrada, etc.) y muchos otros. En el tema del metabolismo existen muchos datos relevantes que una persona debe conocer y este libro hace el intento de explicarlos todos. Los datos relevantes son cosas que debemos saber para mejorar el metabolismo.

Ahora, los datos vitales <u>tienen mucha importancia</u> y sin ellos se nos hará imposible mejorar o recuperar el metabolismo. Un dato vital es un pedazo de información cuyo conocimiento y aplicación garantiza el éxito y cuyo desconocimiento garantiza el fracaso. ¡Es algo vital!

A través de este libro identificaré para usted cuales datos son vitales. La idea es ayudarle a distinguir las importancias relativas entre todos estos factores que mejoran o empeoran el metabolismo. Es posible que logre mejorar su metabolismo aún si obvia algún dato relevante, pero es seguro que usted fracasará en su intento si ignora alguno de los datos vitales. Por lo tanto, le identificaré cada tema que sea vital como un dato vital para que usted le asigne la importancia que debe tener.

Si el tema no está identificado como dato vital puede usted considerarlo como dato relevante. Si el tema es un dato vital estará identificado de esta forma al inicio del tema:

ESTE ES UN DATO VITAL

Usted puede que tenga éxito en mejorar su metabolismo y adelgazar aún si desconoce alguno de los datos relevantes al tema. No obstante, le garantizo que fracasará en su esfuerzo si ignora alguno de los datos vitales al tema del metabolismo. O sea, todo puede parecer importante, pero todo no tiene la misma magnitud de importancia a la hora de lograr nuestro propósito de recuperar el metabolismo y adelgazar. Si ignora un dato de vital importancia simplemente no lo logrará.

Naturalmente, todos tenemos un cuerpo distinto al de los otros seres. Tenemos un cuerpo que es único y que realmente no es igual al de nadie. Existen distintos grados de "metabolismo lento". Hay metabolismos que son un poco lentos, los hay medianamente lentos y existen metabolismos que son "lentísimos" donde la persona prácticamente siente que engorda "hasta de mirar la comida". Mientras más lento sea un metabolismo más relevancia tendrá la aplicación de todos estos datos, relevantes y vitales, para lograr nuestro propósito. Las personas que tienen un metabolismo "lentísimo" tendrán que ser más disciplinadas en aplicar todas las ayudas posibles para lograr vencer su sobrepeso u obesidad.

LOS ENEMIGOS DEL METABOLISMO

FACTORES QUE REDUCEN
EL METABOLISMO

Las personas que fracasan en las dietas se preguntan qué es lo que están haciendo mal. Algunas personas tienen un "metabolismo lento", tan lento que ningún sacrificio les da resultado.

Por su puesto, las personas que tienen un "metabolismo lento" generalmente creen que lo único importante que deben hacer para adelgazar es modificar la dieta de lo que comen. Éste ha sido el mayor error, pensar que lo único que les puede hacer adelgazar es modificar lo que comen.

La nutrición es un factor importante pero también es cierto que existen otros factores que reducen el metabolismo. Por esa razón las personas que tienen un "metabolismo lento" no pueden adelgazar, ni aunque reduzcan o varíen grandemente su consumo de alimentos. Es obvio que la nutrición no puede ser el único factor que afecta al metabolismo ya que existen esos famosos flacos que comen todo lo que deseen comer (dulces, chocolates, postres, pan, grasa) y sin embargo nunca engordan. ¡Si fuera verdad que todo el que está obeso es debido a lo mucho que come entonces esos famosos flacos serían la gente más gorda del mundo! La existencia de esos "flacos comelones" contrasta con la triste realidad de esas otras personas que "engordan hasta de mirar la comida" porque tienen un "metabolismo lento".

Hay varios factores que reducen el metabolismo y que si se combinan pueden lograr que una persona empiece a tener un "metabolismo lento". Es de beneficio conocer estos factores que reducen el metabolismo porque saber sobre ellos nos permite evitar o vencer una condición de "metabolismo lento". Tener un metabolismo ágil es también una garantía de también tener una buena salud.

EXCESO DE AZÚCARES Y CARBOHIDRATOS REFINADOS

La epidemia de sobrepeso y obesidad ha sido causada por varios factores que reducen el metabolismo. Quizá el más evidente de estos factores es el uso excesivo de azúcares y carbohidratos refinados.

Debo aclarar que los carbohidratos son alimentos necesarios. Pero existen dos calidades de carbohidratos: carbohidratos naturales y carbohidratos refinados. Los carbohidratos naturales son aquellos carbohidratos que están en su estado natural sin haber sido manipulados industrialmente por el ser humano. Ejemplos: vegetales y frutas. Los carbohidratos refinados son productos modernos de la industria alimentaria y han sufrido una variedad de procesos de pulido, blanqueado, molido y refinación.

Existen también dentro de los carbohidratos naturales algunos carbohidratos que son de sabor muy dulce. Los carbohidratos dulces pueden venir de fuentes "naturales" pero el hecho de que son dulces indica que son muy altos en azúcares que se pueden convertir en grasa. Ejemplos de carbohidratos dulces lo sería las frutas dulces como el guineo, el mango o las pasas. Hay frutas que no son excesivamente dulces como las fresas, la manzana y la pera que son aceptables como carbohidratos "naturales".

Cuando los carbohidratos se procesan industrialmente pierden una buena parte de su valor nutritivo (vitaminas y minerales) y se convierten en alimentos que nos engordan con facilidad. Por ejemplo la parte más nutritiva del trigo es el germen de trigo que es donde el grano tiene todas sus vitaminas y minerales. El germen de trigo se le quita al trigo durante el proceso industrial y lo que nosotros terminamos comiéndonos es sólo el almidón[†] (azúcar simple) del trigo. Los fabricantes de vitaminas compran el germen de trigo y extraen parte de las vitaminas que luego nos venden en tabletas y cápsulas de vitaminas.

Los procesos industriales para refinar los carbohidratos (trigo, arroz, maíz) son violentos. El fabricante tiene una sola cosa en mente: su ganancia. Los carbohidratos que ya están refinados se convierten en harina de trigo, harina de maíz, endulzantes de maíz (*"corn syrup"*), papa deshidratada, harina de soja (soya) y otras formas de carbohidratos refinados. Estos alimentos están tan refinados y sus moléculas son ya tan pequeñas que el cuerpo humano los convierte en glucosa rápidamente sin mucho esfuerzo. Todo lo que aumente demasiado la glucosa en el cuerpo habrá de crear un exceso de grasa corporal.

Obsérvese que más del 85% de los diabéticos están sobrepeso. Los diabéticos son diabéticos porque sus niveles de glucosa son demasiado altos y como los altos niveles de glucosa fuerzan una creación de grasa corporal más del 85% de ellos están sobrepeso.

Cuando nos comemos una dona (harina de trigo con azúcar) el cuerpo rápidamente convierte la dona en un montón de glucosa y eso crea un exceso de glucosa en la sangre lo cual prepara la escena para engordar. Esa es la mecánica envuelta en el proceso de engordar.

Nada ha hecho más contribución a la obesidad rampante que el uso excesivo de los carbohidratos refinados. Por el contrario los carbohidratos naturales como los vegetales son excelentes como alimentos y no reducen el metabolismo ni contribuyen a la obesidad. Con excepción del maíz y de la remolacha, prácticamente todos los otros vegetales nos ayudarán a adelgazar y a proteger nuestro metabolismo.

La remolacha se usa hoy en día como fuente principal de la azúcar blanca refinada. Por su alto contenido en carbohidratos substituyó a la caña de azúcar que se usaba para producir el azúcar años atrás. Por otro lado, pocos alimentos engordan más que el maíz por su alto contenido de la azúcar fructosa. Fíjese que hoy en día el maíz y sus derivados son utilizados para engordar a los cerdos, las gallinas y al ganado. Curiosamente el edulcorante[1] principal de los refrescos carbonatados y de muchísimos alimentos en los Estados Unidos lo es el sirope de maíz ("corn syrup").

Existe una realidad económica detrás de todo esto. Lo que más dinero le produce a los fabricantes de alimentos es precisamente los carbohidratos. Las proteínas (carne, queso, huevos) son alimentos que producen poca ganancia. Observe que los fabricantes más grandes de alimentos son compañías como General Foods, Quaker Oats, Nabisco, Kellog's y la compañía Nestlé. Observe que lo que producen y venden todas ellas son carbohidratos refinados: jugos en polvo con azúcar, galletitas, avena, sucaritas de maíz ("corn flakes") dulces y chocolates. Los carbohidratos son la mayor fuente de ingresos de las industrias de alimentos.

---

[1] edulcorante: sustancia que se utiliza para endulzar alimentos o bebidas.

Para que tenga una idea, hace unos años leí un análisis económico sobre el negocio de las sucaritas de maíz (*"corn flakes"*) de la compañía Kellog's. Un analista de productos agrícolas había calculado que la caja de sucaritas (*"corn flanes"*) tamaño "familiar" que se vendía en el supermercado a $1.89 contenía, por peso neto en producto, el equivalente a sólo 11¢ en costo de maíz. Cuando se utilizaba como base las onzas de maíz contenidas en la caja de sucaritas y se valoraban al precio que les pagan a los agricultores por su maíz el valor era 11¢. Ahora, imagínese usted un negocio en el cual usted puede convertir 11¢ en $1.89 añadiendo sólo una caja de cartón, azúcar y publicidad. ¡Es un gran negocio!

Por esta misma razón usted nunca verá anuncios en televisión para promover la carne, el queso o los huevos que son proteínas. Lo que deja MUCHO dinero son los carbohidratos refinados. Las "ofertas agrandadas" de los restaurantes de comida rápida sólo "agrandan" la porción de carbohidratos (refresco azucarado, papitas fritas), nunca la carne.

No es que los fabricantes de alimentos sean personas malas. ¡Es que son comerciantes! Lo que deja mucho dinero son los carbohidratos y por lo tanto es lo que todas estas compañías nos promueven. Y a su vez lo que promueve la epidemia de sobrepeso y obesidad que nos arropa. Detrás de todo ello está siempre el dinero.

Aquí lo importante, y lo inteligente, no es molestarse con los comerciantes de alimentos. Lo importante e inteligente es crear conciencia del problema y sus causas, los excesos de carbohidratos refinados. La idea es protegernos y proteger también a nuestros seres queridos, para que no se conviertan en víctimas de la ignorancia. Todos tenemos la responsabilidad de saber sobre esto para proteger la salud de los nuestros.

LOS CARBOHIDRATOS SON ADICTIVOS

Quizá el daño mayor de los carbohidratos refinados es su fuerte poder adictivo. Sí, los carbohidratos refinados son adictivos. Cuando su cuerpo le pide algún antojo especial ¿qué le pide? ¿Le pide carne o queso? ¿O le pide chocolates, dulce, mantecado, pan o galletitas? Fíjese que el cuerpo solamente pide carbohidratos refinados. Los carbohidratos refinados son como la droga para el adicto. Las personas que están adictas a los carbohidratos no se pueden controlar. Se comen los chocolates y esconden las envolturas como si fueran malhechores. Están atrapados en una adicción de la misma forma que el adicto al cigarrillo necesita fumar o el alcohólico necesita beber alcohol. El adicto a los carbohidratos refinados necesita su "cura" y está atrapado en su adicción.

El consumo de estos carbohidratos refinados en abundancia causa no solamente una adicción, causa un estado de acidez en el cuerpo que reduce el metabolismo. El exceso de carbohidratos refinados se convierte en glucosa una vez ha sido digerido. Parte del sobrante de glucosa se fermenta dentro del cuerpo y se convierte en ácido láctico, lo cual crea un estado de acidez que reduce el oxígeno y el metabolismo.

Nada de esto pasa cuando una persona consume vegetales ni cuando consume frutas en moderación. Lo que más ha cambiado en los últimos 50 años y que ha llevado a nuestra población a una epidemia de sobrepeso y obesidad, es la disponibilidad y el mercadeo agresivo de cientos de productos enlatados, congelados y embolsados que son carbohidratos refinados. Si le sumamos a esto el crecimiento explosivo de los restaurantes de comida rápida ("*fast foods*") que principalmente venden carbohidratos refinados (papas fritas, refrescos carbonatados con azúcar, pan blanco, mantecado) podemos entender la gran cantidad de personas que hoy reclaman tener un "metabolismo lento" y que tienen problemas de obesidad.

Por otro lado, hay líquidos que por su alto contenido de azúcares logran subir demasiado la glucosa y tienen facilidad para crear sobrepeso u obesidad. La leche es un ejemplo. La leche de vaca es muy alta en su azúcar natural, la *lactosa*. La lactosa es una azúcar muy potente que para las personas que quieren adelgazar es un obstáculo. De hecho, la lactosa es un azúcar tan potente que es la que utilizan los vendedores de drogas ilegales, como la heroína, para "cortar" su droga y abaratar los costos. Hace años los distribuidores de droga callejera descubrieron que si mezclaban la heroína con lactosa les rendía muchísimo más su embarque de droga. Como la lactosa es una azúcar muy poderosa tiene la propiedad de aumentar el efecto de la heroína y es ideal para mezclarla con ella por esa misma razón.

He conocido varios "adictos a la leche" entre las personas obesas con las que he trabajado. Son personas que "necesitan" tomar leche para sentirse bien porque ya han creado una relación adictiva con la leche. Como la mayoría de las personas desconocen estos atributos de la leche y la industria lechera se encarga de promover su producto como buena fuente de calcio y todo lo otro, la gente se conforma con comprar leche "fat-free" bajo la creencia de que tomando esa leche baja en grasa o sin grasa les ayudará a bajar de peso. No se dan cuenta de que lo que más engorda de la leche es la lactosa que contiene.

Para los diabéticos la leche es especialmente mala como alimento. Hay varios libros que mencionan los efectos nocivos de la leche para los diabéticos y para los no diabéticos. Libros como, *"Don't Drink Your Milk!"*, escrito por el Doctor Frank A. Oski.

En mi caso l, me gusta el café con leche por la mañana. Considero que si utilizo muy poca leche y sólo para el café no estoy haciéndome demasiado daño. Usualmente utilizo la crema de leche ("heavy cream") que es la grasa de la leche que es baja en carbohidratos o utilizo un producto llamado "Half & Half" que es un producto que contiene mitad leche y mitad crema. Evito la leche en cualquier otra forma líquida durante el día.

Los carbohidratos refinados tienen otro efecto que es devastador sobre nuestro estado de ánimo, nuestras emociones y nuestro entusiasmo hacia la vida. Observen que los carbohidratos refinados causan sueño y cansancio. Después de una buena "hartera" de azúcar con harina de trigo (postres, bizcocho, galletitas, donas, etc.) sentiremos un fuerte deseo de dormir. Los bostezos no se harán esperar minutos después de tal fiestón[1]. Los carbohidratos refinados causan sueño. Las madres saben que esto es así y por eso les dan a los bebés que lloran de noche una botella de leche con azúcar, o con avena, o con miel para que el bebé se quede dormido y les deje dormir.

Las personas que consumen muchos carbohidratos refinados siempre están cansadas y en desgano. Además, se les afectan las emociones, porque cuando una persona está muy débil o falta de energía o con sueño también se pone intolerante. La gente adicta a los carbohidratos tiende a tener serios desbalances hormonales en su cuerpo, lo cual produce

---

[1] fiestón: gran fiesta o celebración.

41

estados mentales y emocionales que no son agradables. Sí, lo que comemos impacta nuestras emociones y actitudes porque afecta nuestro sistema hormonal.

La adicción a los carbohidratos refinados, además de ser causante de sobrepeso y obesidad, causa hasta depresión emocional en algunas personas. Los doctores saben que las personas que padecen de hipotiroidismo[†] también sufren de depresión, insomnio, estreñimiento, dificultad para bajar de peso y frío en las extremidades, entre otras manifestaciones. Esto pasa porque las hormonas que produce la glándula tiroides controlan todo el metabolismo del cuerpo y también su temperatura. Cuando el metabolismo se ve afectado, se afectan todos los procesos del cuerpo y sobreviene un desajuste hormonal que produce todos estos síntomas.

Un descubrimiento reciente demostró que el exceso de carbohidratos refinados se convierte en un exceso de glucosa (azúcar de la sangre) lo cual obliga al cuerpo a producir un exceso de la hormona *insulina*[†] y esta hormona a su vez interfiere con las hormonas de la glándula tiroides y trae consigo todas las manifestaciones del hipotiroidismo incluyendo la depresión. La gente que está adicta a los carbohidratos refinados empieza entonces a tener problemas con su tiroides porque su cuerpo produce un exceso de *insulina* y ello interfiere con las hormonas de la tiroides.

Las hormonas compiten entre si por los llamados "receptores" de las células. Los receptores de las células podrían compararse a las "puertas de entrada" de las células. Cuando una hormona domina el ambiente interno, como pasa cuando se produce un exceso de *insulina*, se bloquean los "receptores" y las otras hormonas tienen que esperar y no pueden actuar sobre las células. Un exceso de *insulina* en el cuerpo por haber consumido un exceso de carbohidratos refinados interfiere con la función de la tiroides.

En el cuerpo humano el único estado deseable es el de balance entre las distintas hormonas. Cuando una de las hormonas domina el ambiente las otras dejan de hacer su trabajo y se generan problemas de "metabolismo lento" y de salud. Este es el caso con el exceso de *insulina* que nuestra dieta típica, alta en carbohidratos refinados, obliga al cuerpo a producir.

No quiero exagerar la nota. Pero la próxima vez que observe a una persona deprimida buscar refugio en la comida, observe si es cierto que lo que deseará comer será azúcar, harina, chocolates o algún otro alimento dulce. Los carbohidratos refinados y la depresión emocional van de la mano.

Para recuperar el metabolismo es necesario ganar el control total del cuerpo y eso significa que no pueden existir adicciones que nos dominen. Una adicción, por definición, es una condición en la que una persona obedece los impulsos de su cuerpo ya que ha perdido el control de su cuerpo. Una de las técnicas exitosas del sistema Natural Slim™ es la técnica del DETOX NATURAL™ que es un periodo de 48 horas (2 días) en el cual una persona se desintoxica del uso de los carbohidratos refinados eliminándolos totalmente de su dieta. Algunas personas están tan adictas a los carbohidratos refinados que simplemente no pueden dejar de usarlos ni siquiera por 48 horas a menos que tengan ayudas especiales de suplementos naturales que se han desarrollado especialmente para romper esta adicción. Las personas muy adictas a los carbohidratos sufren reacciones desagradables (dolores de cabeza, diarrea, dolor muscular, etc.) y mucha ansiedad al tratar de romper con este vicio si no se les ayuda con suplementos especiales para romper la adicción y calmar el sistema hormonal.

Una nota final. En realidad no hay nada malo con un buen pedazo de pastel, o con una dona o con un pan calientito. Es un asunto de si uno controla al alimento o si el alimento lo controla a uno. Se trata de llegar a un punto no adictivo donde uno pueda libremente escoger si utilizará algún dulce u otros carbohidratos refinados sin que ello signifique perder totalmente el control y dejarse dominar por el poder adictivo de estos alimentos.

La comida es uno de los placeres más exquisitos de la vida. Pero nunca se debe permitir que algunos alimentos se nos conviertan en una droga.

Existe un punto en el que uno ya se ha liberado del poder adictivo de los carbohidratos refinados y puede inclusive disfrutar de ellos periódicamente sin caer en la adicción. Lo que crea la adicción es el <u>uso repetido y consecutivo</u> de los carbohidratos refinados. O sea, si ya me siento libre de la adicción puedo disfrutar de ellos en plena conciencia de que si los abuso quedaré atrapado en sus efectos adictivos. Es un asunto de tener conciencia sobre el potencial adictivo de estos alimentos y utilizar la disciplina para poderlos disfrutar sin que ello nos deje atrapados y con "antojos".

UN EFECTO DEVASTADOR
SOBRE LA SALUD

El exceso de carbohidratos refinados ha tenido otro efecto menos obvio que el de la obesidad en nuestra población. Ha tenido un efecto dañino sobre la salud en general.

Una dieta alta en carbohidratos refinados como pan, pasta, harina, arroz, chocolates, dulces y almidones, como la papa, produce o agrava condiciones como: alta presión, altos triglicéridos y alto colesterol. Los diabéticos que no controlan su consumo de carbohidratos refinados nunca logran controlar su diabetes. Inclusive, se ha demostrado una relación directa entre el exceso de carbohidratos refinados y el cáncer, tanto en el hombre como en la mujer.

Las personas que consumen exceso de carbohidratos refinados obligan a su cuerpo a producir un exceso de glucosa en su sangre y mucha *insulina*. La *insulina* es la hormona que reduce los niveles de glucosa en la sangre y es también la hormona que permite que las células utilicen la glucosa como energía.

Cuando se consume un exceso de carbohidratos refinados el cuerpo convierte esos carbohidratos en un exceso de glucosa. Un exceso de glucosa es precisamente lo que los médicos llaman "diabetes". O sea, que el exceso de glucosa prepara el camino para desarrollar una diabetes o agravar la diabetes.

Las estadísticas nacionales de diabetes infantil y de diabetes adulta han aumentado cada año por los últimos 30 años. La obesidad infantil es cada vez un hecho más común. El uso excesivo de los carbohidratos refinados está causando estos problemas de salud.

El exceso de glucosa que producen los carbohidratos refinados fuerza al cuerpo a aumentar su producción de la hormona *insulina*. Este exceso de *insulina* entonces interfiere con las hormonas de la tiroides y la persona empieza a tener problemas con su tiroides. Problemas como depresión, irritabilidad, insomnio, debilidad, infecciones y un metabolismo lento, entre otras. En fin, se crea un caos hormonal cuando se abusa de los carbohidratos refinados.

Hay otro factor adicional que tiene que ver con los procesos inflamatorios del cuerpo. La persona que consume un exceso de carbohidratos refinados crea más condiciones inflamatorias en el cuerpo. O sea, agrava las condiciones inflamatorias como migrañas, dolores artríticos, dolores de espalda, inflamación del corazón, daño a los riñones e hígado graso. La dieta que mejor resultados ha tenido para reducir las condiciones inflamatorias del cuerpo siempre ha sido la dieta de proteínas muy digeribles como el pescado y de vegetales y frutas. Los vegetales en especial tienen efectos antiinflamatorios por su contenido de sustancias naturales llamadas "polifenoles" que bloquean la inflamación.

Los alimentos que más inflamación producen son el azúcar y los carbohidratos refinados como donas, bizcochos, panes y galletitas.

Por otro lado, como los carbohidratos refinados tienen un efecto adictivo pero también calmante, muchas personas los utilizan como "drogas" para refugiarse durante sus momentos de crisis emocional. Una buena "hartera" con donas, mantecado, chocolates o galletitas produce en el cuerpo un aumento de la *serotonina* que es una sustancia calmante que se produce en el cerebro. Los medicamentos antidepresivos como *Paxil®* y otros precisamente trabajan en el cerebro aumentando la reutilización de la *serotonina*.

El problema aquí es que los carbohidratos refinados llegan a afectar nuestro estado emocional y crean una dependencia adictiva por el efecto calmante que producen. Las personas que ya están adictas a los carbohidratos refinados se comportan con la comida como los adictos a drogas callejeras. Ellos <u>tienen que tener</u> su "cura" diaria de Coca-Cola®, chocolates, dulces u otro tipo de carbohidratos refinados. La salud emocional se afecta.

Sí, el exceso de carbohidratos refinados está enfermando a nuestra población. Es un problema mucho más abarcador que la realidad de que cada día hay más sobrepeso y más obesidad en nuestra sociedad.

DESHIDRATACIÓN

Uno de los factores que más reduce el metabolismo es la deshidratación. O sea, la falta de agua.

Trabajando con miles de personas para ayudarlas a recuperar su metabolismo he visto que el consumo reducido de agua tiene un efecto devastador sobre el metabolismo.

El cuerpo humano está compuesto principalmente de agua. Se calcula que el cuerpo debe ser un mínimo de 65% agua. Usando una pesa moderna de las que miden electrónicamente la composición del cuerpo he tenido la oportunidad de pesar a miles de personas. Este tipo de pesa electrónica utiliza una tecnología que mide con exactitud la cantidad de agua y grasa que el cuerpo contiene. Esa información es más valiosa que la de obtener solamente el peso del cuerpo.

Al pesar a personas que están sobrepeso lo que se observa en la pesa es que mientras más obesas estén mayor será la cantidad de grasa y menor será la proporción de agua en su cuerpo. O sea, estar gordo realmente es tener mucha grasa y poca agua. Estar flaco es lo contrario, mucha agua y poca grasa. En las personas delgadas hasta el 65% de sus cuerpos es agua y en los obesos el por ciento de agua se reduce hasta 40%. Según la persona va adelgazando la pesa marca un aumento en el agua y una reducción en la grasa.

La realidad es que si una persona quiere adelgazar tendrá que tomar mucha agua como medida principal. El agua sube el metabolismo de forma significativa. Es lógico que sea así porque cuando estudiamos la física de la molécula del agua, H_2O (dos átomos de hidrógeno y un átomo de oxígeno), podemos ver que el átomo de oxígeno tiene una masa molecular 8 veces más grande que la de los dos pequeños átomos de hidrógeno. La molécula del agua, H_2O, parece la figura de un *"Mickey Mouse"*® donde los dos átomos de hidrógeno son las orejitas del *Mickey*.

El agua, H_2O, está compuesta en un 89% de oxígeno y sólo un 11% de hidrógeno cuando consideramos su masa molecular[1]. Cuando tomamos agua lo que principalmente añadimos al cuerpo es oxígeno. El oxígeno es el elemento que permite la combustión de la grasa y es lo que más impulsa al metabolismo. Tomar mucha agua es una forma bien efectiva de subir el metabolismo y adelgazar.

Ahora, hay que aclarar que tomar agua y tomar jugos o refrescos no es la misma cosa. De la forma en que funciona el cuerpo, si el agua es agua sin ningún sabor, el cuerpo la envía al corriente sanguíneo y aumenta la hidratación y el oxígeno a nivel celular. Si el líquido que ingerimos tiene algún sabor (refrescos, jugos, café), el cuerpo asume que es un alimento y lo envía a través del tracto digestivo lo cual no remedia un estado de deshidratación ni necesariamente sube el metabolismo. Nuestro cuerpo sabe distinguir entre lo que es simplemente agua pura y los otros líquidos (refrescos, jugos, café, etc.) a los cuales trata como alimentos.

---

[1] masa molecular: la materia, toda, está compuesta de átomos. Los átomos cuando se unen forman moléculas. La "masa molecular" se refiere al tamaño combinado de los átomos que forman una molécula.

Consumir los refrescos carbonatados (Coca-Cola®, 7UP®, etc.) es una de las mejores formas que existen de deshidratar el cuerpo y de reducir el metabolismo. Estos refrescos contienen un ácido llamado ácido fosfórico que es lo que nos causa el picorcito en la lengua cuando los tomamos. El propósito de este ácido es mantener el azúcar en suspensión para que no se vaya al fondo de la lata y proveer el picorcito efervescente característico de estos refrescos. Los ácidos, por definición, son sustancias que reducen el oxígeno. Lo que pasa cuando tomamos uno de estos refrescos, aunque sea de dieta, es que el ácido fosfórico que contienen reduce una buena parte del oxígeno que está disponible en el cuerpo y eso a su vez reduce el metabolismo. He conocido personas obesas cuya acción principal para adelgazar fue eliminar los refrescos de dieta y sustituirlos por un alto consumo de agua.

Cuando consumimos refrescos carbonatados, de dieta o no de dieta, el cuerpo se deshidrata. La razón para esto es que el cuerpo humano tiene que mantener un bajo nivel de acidez interna en la sangre para poder sobrevivir. Nuestra sangre es más alcalina (contrario a ácido) que ácida porque si no lo fuera se repelería el oxígeno que necesitan las células. Los ácidos repelen oxígeno. Por esa razón nuestra sangre es más alcalina que ácida, para que el oxígeno pueda transportarse en ella. Cuando consumimos refrescos carbonatados con ácido fosfórico el cuerpo hace un esfuerzo supremo por reducir los niveles de ácidos a través de la orina y eso obliga al cuerpo a utilizar parte de su agua para empujar hacia fuera del cuerpo a los ácidos de los refrescos. Mientras más refrescos ácidos consumamos más tendrá el cuerpo que orinar para reducir el nivel de ácidos acumulados y esto agrava la deshidratación celular, reduce el oxígeno disponible para las células, al haber menos agua.

En química se utiliza la escala de pH (potencial de hidrógeno) para medir la acidez o alcalinidad de las substancias. En esta escala 7.0 es neutral, ni ácido ni alcalino. El agua por ejemplo, si no es destilada es 7.0 de pH en esta escala, o sea neutral.

Ejemplos en esta escala serían estos:

Sustancia	pH	
Vinagre	2.4	ácido
Refresco cola	2.5	ácido
Jugo toronja	3.2	ácido
Jugo tomate	4.3	ácido
Saliva	6.6	ácido
Leche	6.8	ácido
Agua	7.0	neutral
Sangre humana	**7.4**	**alcalino**
Agua de mar	8.0	alcalino
Amoniaco	11.0	alcalino

Se ha calculado que una sola lata de refresco carbonatado de 12 onzas (pH 2.5) contiene tanto ácido que se requieren 32 vasos de agua de 8 onzas para devolver al cuerpo al punto neutral (pH 7.0). Las ventas de refrescos carbonatados a nivel mundial han crecido a un ritmo acelerado de la misma forma que han aumentado los problemas con el sobrepeso, la obesidad y el llamado "metabolismo lento".

Cada vez que consumimos uno de esos refrescos carbonatados o colas reducimos drásticamente el oxígeno en el cuerpo al forzar un estado ácido interno. Nuestro metabolismo sufre las consecuencias porque al faltarle oxígeno se ve obligado a reducir parte de sus funciones y ello lo reduce.

Al cuerpo humano podría comparársele con un motor de combustión que utiliza carbón (glucosa) y oxígeno para generar energía. Como todo motor cuando se le corta el abasto de oxígeno se le reduce la combustión que en nuestro caso es lo que llamamos "metabolismo".

Las personas que ya tienen un metabolismo lento siempre están deshidratadas. Además de la pesa especial electrónica, como la que usa Natural Slim™ para sus miembros que mide el agua en el cuerpo, hay varios indicadores clásicos de la deshidratación: la piel reseca, acidez estomacal, la persona prácticamente no suda, su orina es bien amarillenta y con fuerte olor a amoniaco, y tiene muy poca o ninguna sed.

Es curioso pero cierto el hecho de que mientras más deshidratada esté una persona más rechazará el agua su cuerpo. Las personas bien deshidratadas no soportan tomar agua y cuando tratan de tomársela sienten deseos hasta de vomitarla. El Doctor F. Batmanghelidj en su libro *"Your Body's Many Cries for Water"* hizo claro este fenómeno de adaptación del cuerpo humano. Cuando una persona está deshidratada el cuerpo entra en un estado de "racionamiento" y es por eso que prácticamente no suda. Lo otro que hace un cuerpo deshidratado es que apaga la sensación de sed como medida de adaptación a la falta de agua. O sea, cuando se está bien deshidratado simplemente no se siente ninguna sed. Se descubrió que el cuerpo tarda aproximadamente 7 días de consumo continuo de agua antes de volver a reactivar la sensación de sed nuevamente. Una vez se reactive esta sensación de sed la persona simplemente no puede dejar de tomar agua porque la sed que se produce cuando el cuerpo está deshidratado es desesperante.

Las personas que desean subir su metabolismo deben saber que tomar agua funciona. También deben entender que el alcohol (vino, cerveza, licor) y el café deshidratan al cuerpo. Si alguna vez va a una barra observe la frecuencia con la que la gente de la barra tiene que visitar el baño. El alcohol deshidrata y acidifica al cuerpo lo cual reduce el metabolismo. Si quiere adelgazar y recuperar su metabolismo tendrá que darle mucha agua a su cuerpo mientras reduce a un mínimo el consumo de alcohol y café.

¿CUÁNTA AGUA DEBO CONSUMIR?

La cantidad de agua necesaria para su cuerpo debe ser equivalente al tamaño de su cuerpo. O sea, mientras más grande sea un cuerpo mayor será su necesidad de agua. La recomendación general que estamos acostumbrados a oír es que se deben tomar 8 vasos de 8 onzas de agua al día. A falta de otra mejor esta es una buena recomendación pero no es exacta.

La fórmula para calcular el consumo de agua diario que usamos en Natural Slim™ es más exacta debido a que toma en consideración el tamaño del cuerpo de la persona. La lógica nos dice que un cuerpo pequeño necesitará menos agua que un cuerpo grande y voluminoso. Un cuerpo grande tiene más capilares y mucha más área para hidratar. Podríamos decir que es algo como la diferencia que existiría entre la cantidad de agua que se necesitaría para limpiar una residencia grande con varios cuartos y el agua que se necesitaría para limpiar un pequeño apartamento.

Nosotros calculamos el consumo de agua diario recomendado dividiendo el peso del cuerpo por el número 16. El resultado se refleja en cantidad de vasos de 8 onzas por día. Por ejemplo: Si una persona tiene un cuerpo que pesa 160 libras y dividimos este peso por 16 el resultado será que su consumo diario recomendado serían 10 vasos de 8 onzas de agua al día (160lbs. ÷ 16 = 10 vasos). Si la persona pesara 240 libras su consumo diario recomendado serían 15 vasos (240lbs. ÷ 16 = 15 vasos). Según usted va perdiendo peso el consumo de agua recomendado se sigue reduciendo.

Para aquellas personas que se les hace difícil pensar en términos de "vasos de agua" deben saber que cada 2 vasos de agua de 8 onzas equivalen a una botella de agua de 16 onzas. Las botellas de 16 onzas de agua son las más comunes en el mercado. O sea, que si una persona necesita beberse 12 vasos de agua al día debido a su peso esto sería lo mismo que tomarse 6 botellas de agua durante el día.

Hay distintas teorías sobre si el agua debe tomarse fría o la temperatura natural del ambiente. Personalmente no creo que ello haga gran diferencia. Lo que sí es importante es que durante el día usted se tome el agua que es necesaria para que logre subir el metabolismo.

Tomar suficiente agua es vital para poder recuperar el metabolismo y adelgazar. Es inclusive vital para la salud ya que el agua permite que su cuerpo elimine los tóxicos (por la orina) e inclusive ayuda a las personas a evitar el estreñimiento.

Como si todo esto fuera poco debe saber que el agua mejora la capacidad sexual tanto del hombre como de la mujer. Cuando un hombre está bien hidratado puede lograr una erección adecuada ya que el miembro sexual del hombre es un aparato de tipo hidráulico y se llena de sangre (la sangre es 94% agua) en respuesta al estímulo. El nombre que está deshidratado puede perder su capacidad de tener una erección cuando el cuerpo se deshidrata y la sangre se torna espesa. En el caso de las mujeres el estar bien hidratadas les permite lubricarse bien de forma natural y eso les aumenta el place y el interés en la pareja. O sea, podrían evitarse hasta los medicamentos para la disfunción eréctil como Viagra® si tan solo nos hidratáramos con suficiente agua. El agua puede mejorar la vida sexual de una pareja.

Pasa también que la mayoría de los asmáticos que empiezan a utilizar suficiente agua ven que sus ataques de asma se desaparecen. De igual forma la gran mayoría de esas personas que padecen de acidez estomacal o reflujo simplemente están deshidratadas. Si una persona empieza a consumir suficiente agua a diario y elimina los refrescos de dieta que son ácidos verá su acidez desaparecer sin la necesidad de medicamentos. Estas son situaciones que en Natural Slim™ vemos a diario y por su puesto ya no nos sorprenden después de haber atendido a más de 10,000 personas y ver los "milagros" que se logran con solo aumentar el consumo de agua.

En el tema del metabolismo el agua es nuestro mejor aliado.

PROBLEMAS CON EL SISTEMA DE LA GLÁNDULA TIROIDES

Los humanos tenemos una glándula que está localizada en el área del cuello y que tiene la forma como de una mariposa con las alas abiertas. Esta glándula se llama la glándula tiroides y sus hormonas controlan tanto el metabolismo como la temperatura del cuerpo.

Sin entrar en detalles técnicos podemos decir que esta glándula produce una hormona que la medicina ha llamado T4. Esta hormona T4 no es una hormona activa sino más bien una hormona de almacenamiento. Se le llama T4 porque contiene 4 átomos del mineral iodo. El cuerpo, a través de la acción de una enzima llamada *deiodinase*, convierte la hormona T4 en la hormona T3 que es una hormona activa, no de almacenamiento. La hormona T3 es la hormona que realmente sube el metabolismo y aumenta la temperatura del cuerpo. Es la hormona activa.

La hormona T4 sería como el equivalente de tener petróleo y la T3 sería como tener el producto activo y utilizable del petróleo, la gasolina.

T4 (Hormona de almacenamiento)   **T3** (activa)

Hay otra hormona que juega un papel en esto que se llama TSH (*"Thyroid Stimulating Hormone"*). Es la hormona que produce el cerebro para solicitarle a la glándula tiroides que produzca más hormona T4. La hormona TSH es una hormona "mensajera" que lleva a la tiroides las órdenes del cerebro para producir más T4 y así obtener más T3 para mantener el metabolismo y la temperatura del cuerpo. Cuando el cerebro detecta poca actividad de la hormona T3 en las células entonces produce más hormona TSH para estimular a la glándula tiroides a producir más hormona T4 que luego pueda ser convertida en T3. Es un sistema donde el cerebro monitorea constantemente las cantidades de T3 disponibles y ordena a la glándula tiroides que produzca más T4 a través de su producción de TSH.

Las personas que tienen problemas con su glándula tiroides padecen de la condición llamada hipotiroidismo[†] la cual es una condición bastante común y para la cual existen medicamentos como Synthroid® y otros.

Cuando una persona padece de hipotiroidismo puede sentir uno o varios de los síntomas de esta condición que son:

Alto colesterol	Dificultad para adelgazar
Caída del pelo	Problemas digestivos
Depresión	Resequedad en la piel
Estreñimiento	Retención de líquidos
Frío en las extremidades	Cansancio continuo
Infecciones recurrentes	Pérdida de memoria
Pérdida de interés en sexo	Insomnio

Si el médico sospecha que existe una condición de hipotiroidismo simplemente ordena unas pruebas de laboratorio para medir en la sangre las cantidades de las hormonas T4, T3 y TSH. Hay unos niveles que se consideran "normales" de cada una de estas hormonas y con ellos el médico determina cuánto medicamento será necesario para corregir la situación. Desgraciadamente las pruebas de tiroides no son infalibles y algunos expertos, como el Doctor Broda O. Barnes, opinan que aproximadamente el 50% de estas pruebas fallan en detectar los problemas de la tiroides.

Es importante también saber que muchas personas que padecen de alto colesterol[†] realmente lo que tienen es un problema con su tiroides y no lo saben. Antes de que existieran las pruebas para medir las hormonas T4, T3 y TSH en la sangre los médicos sabían que una persona tenía problemas de tiroides si encontraban el colesterol demasiado alto y sabían que la persona no consumía una dieta alta en colesterol. El alto colesterol puede ser un indicador claro de una función deficiente de la tiroides.

Una de las manifestaciones principales del hipotiroidismo es la fuerte tendencia al sobrepeso y a la obesidad que produce. A las personas con hipotiroidismo se les hace casi imposible adelgazar porque su metabolismo es

59

extremadamente lento ya que la tiroides es la glándula que controla el metabolismo. Si hay poca producción de la hormona T3 habrá poco *movimiento* a nivel celular y la persona tendrá un metabolismo lento. Para colmo hay personas cuyas pruebas de laboratorio reflejan niveles "normales" de hormona T3 y tienen un metabolismo extremadamente lento debido a que por alguna razón su hormona T3 no está totalmente activa y es como si fuera una hormona T3 defectuosa.

La verdadera acción de la hormona T3 sucede a nivel de las células del cuerpo. Las pruebas de laboratorio miden los niveles de hormonas T4 y T3 en la sangre pero no es en la sangre donde la hormona T3 tiene su acción, es en las células. No existen pruebas que midan la acción de la hormona T3 en las células. Por esa razón, se ha visto que las pruebas de laboratorio para medir estas hormonas de la tiroides en la sangre pueden ser una ayuda, pero no necesariamente dicen la verdad en todos los casos. Muchas de las personas que tienen un metabolismo extremadamente lento están teniendo problemas con la función de sus hormonas de la tiroides. Sin embargo, las pruebas de laboratorio que se hacen reflejan que "todo está bien" mientras la persona continúa deprimida, con insomnio, con debilidad, con sobrepeso y con todas las otras manifestaciones del hipotiroidismo.

Curiosamente el hipotiroidismo afecta a 8 mujeres por cada 1 hombre que tiene esta condición. O sea, es una condición que afecta principalmente a las mujeres. Las mujeres con hipotiroidismo se sienten débiles, cansadas, gordas, deprimidas y con poco interés en el sexo. Es una condición que causa divorcios a granel y lo más triste es que en muchísimos casos permanecen sin detectar. El Doctor Broda O. Barnes en su libro *The Unsuspected Illness* estima que a casi la mitad de las personas que padecen de hipotiroidismo no se les detecta la condición con las pruebas de laboratorio tradicionales que utilizan los médicos. O sea, que son personas que siguen sintiéndose gordas, deprimidas y débiles mientras su doctor les dice "está todo bien con tu tiroides".

En los años que he trabajado con miles de mujeres que deseaban adelgazar y recuperar su metabolismo tuve que aprender a detectar el llamado "hipotiroidismo subclínico" que no detectan las pruebas normales de laboratorio. Tuve la suerte de descubrir la información que publicaron en sus respectivos libros el Doctor Broda Barnes y el Doctor Denis Wilson sobre estos temas. Estos dos doctores han sido, además de doctores, brillantes investigadores que supieron observar más allá de las pruebas de laboratorio. Fueron doctores que genuinamente se preocupaban por sus pacientes y que decidieron creerle a sus pacientes más que a las pruebas de laboratorio. En esa vorágine [1] acelerada que llamamos vida, a veces no es fácil conseguir a un médico que realmente escuche y observe a su paciente. Las presiones económicas y de tiempo que han impuesto sobre nuestros médicos las compañías de seguros médicos ciertamente nos han hecho perder esa calidad y tiempo de comunicación que debe existir entre médico y paciente. En parte, por esto nuestros médicos muchas veces han perdido la capacidad de dialogar con el paciente para ver si los análisis de laboratorio realmente concuerdan con los síntomas que el paciente tiene. O sea, han dejado de observar al paciente y lo sustituyen con interpretar lo que digan los resultados de los análisis de laboratorio.

---

[1] vorágine: aglomeración confusa de sucesos, de gentes o de cosas en movimiento.

Según los doctores Broda Barnes y Denis Wilson aproximadamente el 50% de los análisis de laboratorios para detectar problemas con el sistema de la glándula tiroides dan lo que llaman un "falso negativo". Un "falso negativo" quiere decir que es "falso que no hay problemas con la tiroides'. O sea, que sí existen problemas con la tiroides aunque no hayan sido detectados en los análisis de laboratorio.

La glándula tiroides es la glándula que controla el metabolismo. Cuando existen problemas o defectos en el funcionamiento de esta glándula el metabolismo se ve afectado. También, cuando falla alguno de los procesos que permiten que sus hormonas lleguen a las células del cuerpo para activar y acelerar el metabolismo se crea un caos llamado "metabolismo lento".

La glándula tiroides es muy sensible al estrés. De hecho el estrés es lo que más afecta esta glándula. La mayoría de las mujeres que hoy en día tienen problemas con su tiroides empezaron a tener problemas con ella justo después de algún evento traumático emocional o doloroso. Por ejemplo, después de un divorcio aparatoso. O después de un parto que fue doloroso y lleno de estrés. Inclusive después de un accidente automovilístico o después de la pérdida de un ser querido. En fin, es una glándula que se afecta con el estrés.

Por otro lado, la tiroides tiene unas necesidades específicas de algunos nutrientes, vitaminas y minerales que si no se cubren y existe una deficiencia de alguno de los elementos necesarios la obliga a fallar en su función. Para poder funcionar adecuadamente la tiroides no puede tener deficiencias de ninguno de las siguientes sustancias: yodo, zinc, magnesio, cobre, manganeso, selenio y el aminoácido L-Tyrosine. Si cualquiera de estas necesidades le falta su función se verá afectada y puede ocasionarse un hipotiroidismo con su resultante "metabolismo lento".

Si usted padece de un metabolismo lento, y también tiene varios de los síntomas de hipotiroidismo que se listaron anteriormente, debe sospechar que hay problemas con su sistema de la glándula tiroides. Los análisis de laboratorio existentes son una ayuda pero no son infalibles.

LA TEMPERATURA LO DICE TODO

ESTE ES UN DATO VITAL

Es fácil distraerse con los detalles técnicos de los exámenes de laboratorio y con las tecnologías sofisticadas de los rayos X y de los equipos de electromagnetismo. A veces tenemos frente a nosotros los indicadores más obvios de una situación y optamos por no observarlos. Este es el caso de los problemas con el sistema de la glándula tiroides, donde la mayoría de nuestros médicos han llegado a confiar únicamente en los exámenes de laboratorio y han dejado de observar los síntomas más obvios. Son muchas las personas que padecen de problemas con su tiroides y debido a eso padecen también de depresión, aunque sus pruebas de laboratorio reflejan que "está todo bien" mientras la persona se siente horriblemente mal. Cuando a estas personas no se les detecta el hipotiroidismo en las pruebas de laboratorio muchas veces se les acusa de imaginar condiciones que no tienen o de ser hipocondríacos (que se quejan de enfermedades que no tienen). Los médicos en su mayoría han llegado a creer que las pruebas de laboratorio que miden las hormonas de la tiroides son infalibles y que es el paciente el que se queja exageradamente de unas condiciones que en realidad no existen.

Por suerte, contamos con médicos que sí pueden observar como los doctores Barnes y Wilson. Ambos de estos doctores utilizan el indicador más básico de problemas con la tiroides para sus diagnósticos: LA TEMPERATURA DEL CUERPO. Debido a que la tiroides controla la temperatura del cuerpo cuando no está trabajando de forma óptima la temperatura del cuerpo lo refleja de forma directa. El cuerpo de una persona cuya tiroides tiene problemas de producción de hormonas o problemas de conversión de T4 a T3 estará más frío que el de una persona sin problemas. La glándula tiroides es como si fuera el termostato del cuerpo humano, cuando ella falla el cuerpo se enfría más de lo normal.

La temperatura normal de todos los cuerpos humanos es y debe ser 98.6 Fahrenheit o 37.0 C en la escala de centígrados. Cualquier temperatura por debajo de 97.8 F o de 36.5 C muestra que hay problemas con el sistema de la glándula tiroides. La temperatura del cuerpo humano puede variar unas cuantas décimas de grados durante el curso de un día pero cuando baja hasta 97.8 F o menos, o a 36.5 C o menos, una buena parte de los procesos del metabolismo se ven afectados.

En el cuerpo humano existen más de 500 enzimas[†] distintas cuya función es la de lograr cambios bioquímicos en las hormonas, las células y en la sangre. Las enzimas son proteínas las cuales son muy sensibles a la temperatura. Algunas enzimas dependen de que la temperatura del cuerpo se mantenga en 98.6 F o muy cercana a esta temperatura para poder funcionar. Cuando el cuerpo se enfría demasiado por problemas con la tiroides muchos de los procesos del metabolismo se interrumpen y es esto lo que causa las manifestaciones de depresión, frío en las extremidades, obesidad, insomnio y otros síntomas.

Una forma efectiva y sencilla de saber si su tiroides funciona bien es tomarse la temperatura con un termómetro. La temperatura debe tomarse por lo menos 3 veces durante el día, por lo menos 1 hora después de haber comido y deben promediarse los resultados para saber la temperatura promedio. Si el promedio de temperatura es de 97.8 F o 36.5 C o menos <u>hay problemas con la tiroides</u>. Si la temperatura está baja usted también tendrá un "metabolismo lento". Así que tomarse la temperatura sirve para saber si usted tiene un "metabolismo lento" o normal.

La temperatura del cuerpo refleja cuán lento o cuán rápido va el metabolismo. Las personas que tienen un metabolismo lento padecen y se quejan de frío porque sus cuerpos en realidad están más fríos de lo normal.

EL METABOLISMO LENTO SE REFLEJA EN UN CUERPO FRÍO

Los termómetros digitales electrónicos son muy rápidos pero no tienen la precisión necesaria. Trate de utilizar un termómetro de cristal tradicional. Estos termómetros requieren ponerse unos 4 minutos debajo de la lengua cada vez que haga una lectura pero son muy exactos. La temperatura que se usa es la temperatura de la boca.

Conocer este dato de la temperatura le permite buscar ayuda médica si la temperatura refleja consistentemente que la tiroides no está bien. Puede que usted pase un poco de trabajo localizando un médico que esté dispuesto a oírle y ayudarle aunque sus pruebas de laboratorio no lo justifiquen. Todavía existen algunos médicos que tienen una orientación clínica (de observación de los síntomas) y que están dispuestos a proveerle una receta de hormona tiroidal[1] a modo de "dosis de prueba". Sé que es así porque yo tenía este problema y pude encontrar (después de 3 distintas visitas) a un médico que estuvo dispuesto a oírme y a recetarme una "dosis de prueba" para permitirme experimentar como ello mejoraba mis síntomas. Cuando finalmente empecé a usar la hormona tiroidal se desapareció el cansancio continuo, el insomnio, el frío en las extremidades y la dificultad para adelgazar que siempre había tenido.

Falta decir que el medicamento más usado para las condiciones de tiroides es Synthroid®. Este medicamento lo que contiene es hormona T4 sintética. Es por esta razón que muchas de las personas que utilizan este medicamento pueden sentir alguna mejoría pero no les ayuda realmente a subir el metabolismo si resulta que la persona tiene en su cuerpo un problema de conversión de la hormona T4 a la hormona activa T3. Si recuerdan la explicación sobre las hormonas de la tiroides verán que la T4 es una "hormona de almacenamiento", no es una hormona activa. La hormona

---

[1] tiroidal: se refiere a la hormona que produce la glándula tiroides.

activa es la T3 que el cuerpo extrae de la T4 con la ayuda de la enzima *deiodinase*. El problema aquí es que muchas de las personas que tienen el metabolismo lento lo que tienen es un problema de CONVERSIÓN por el cual su hormona T4 no se convierte eficientemente a T3 (hormona activa) y por eso el metabolismo se queda falto de energía. O sea, que ponerle más T4 (Synthroid®) a un cuerpo no necesariamente resuelve el problema del metabolismo lento si el cuerpo resulta tener un problema de conversión de la hormona T4 a la hormona T3, la cual es la hormona activa a nivel celular.

Existen medicamentos para la tiroides de fuente natural como Armour® el cual se extrae de la tiroides de los cerdos y contiene tanto T4 como T3. Existen sitios en la Internet como www.drugstore.com donde se pueden ordenar con la receta de su médico. Lo más difícil, si usted sospecha que su tiroides no está funcionando del todo bien y su cuerpo se siente más frío de la cuenta, es conseguir un médico amigo que esté dispuesto a recetarle una "dosis de prueba" para observar los resultados.

El metabolismo es un grupo de movimientos. Los movimientos utilizan energía y producen CALOR. Mientras más movimiento exista mayor calor habrá; mientras menos movimiento exista más frío habrá. Obsérvese que si usted carga en sus brazos a un bebé recién nacido siempre lo sentirá calientito por la gran cantidad de movimientos que existen en su joven cuerpo. El metabolismo de un bebé recién nacido siempre es rápido y por eso se siente bien calientito. Por el contrario observe que la temperatura de una persona ya anciana se sentirá siempre más fría al tacto. Esto se debe a que la persona anciana ya ha perdido una buena parte de su metabolismo por la edad y su cuerpo se va poniendo cada vez más frío y más lento. Llevo años trabajando con personas con sobrepeso y obesidad, y admito que no puedo evitar el calcular la temperatura y el metabolismo de una persona que recién he conocido al estrechar su mano y sentir la temperatura de su cuerpo. ¡La temperatura lo dice todo!

TOMÁNDOSE LA TEMPERATURA CON UN TERMÓMETRO DE CRISTAL SABRÁ COMO ESTÁ SU TIROIDES

Otro dato interesante es que nada afecta más a la tiroides que el estrés. Es por esto que ya se ha descubierto que el estrés engorda. Como mencioné anteriormente, las condiciones de la tiroides que causan un "metabolismo lento" afectan a un total de 8 mujeres por cada hombre afectado. En el caso de las mujeres o de los hombres la tiroides se puede afectar al experimentarse alguna crisis familiar, un accidente, una enfermedad o un fuerte problema. En el caso específico de las mujeres la tiroides se ve afectada principalmente después de un parto debido al severo estrés físico y emocional que el parto puede ser para el cuerpo de una mujer. Quizá es por esto que la mayoría de las mujeres que perdieron su bella figura de recién casadas lo hicieron justo después de alguno de sus partos.

Existen también ciertas deficiencias de vitaminas y minerales como cinc, yodo, selenio, magnesio y otros que pueden crear problemas con la tiroides y que pueden inclusive evitar que se haga una conversión eficiente de la hormona T4 a la hormona activa T3. O sea, la nutrición también es un factor.

En años recientes se hizo un gran descubrimiento que ha ayudado considerablemente a las personas que tienen problemas con su tiroides y con su metabolismo. El descubrimiento tiene que ver con las propiedades que tiene el aceite de coco orgánico. El aceite de coco orgánico, que es un producto natural, sube la temperatura y el metabolismo del cuerpo y ayuda a las personas que han tenido dificultad para adelgazar debido a un "metabolismo lento". El uso diario de una dosis de este aceite natural ha permitido que muchas personas que antes bajaban de peso lentamente ahora puedan adelgazar a una velocidad mucho más satisfactoria. El aceite de coco orgánico contiene una grasa saturada llamada "triglicéridos de cadena media" (MCT's o *"medium chain triglycerides"* en inglés) la cual aumenta la temperatura y el metabolismo de forma notable y medible. De hecho, al usar una dosis diaria de aceite de coco orgánico se puede notar con un termómetro el aumento de temperatura que produce en el cuerpo. Con el aumento de temperatura del cuerpo también viene un aumento del metabolismo y una nueva facilidad para adelgazar.

En años pasados, ha existido bastante información errónea sobre el aceite de coco en los medios de comunicación. En otro capítulo de este libro analizaremos de forma más completa el tema del aceite de coco orgánico y de los datos científicos que lo respaldan.

Por el momento lo que es importante saber es que: ¡La temperatura lo dice todo!

ESTRÉS, ES VERDAD QUE ENGORDA

ESTE ES UN DATO VITAL

Todo el mundo habla del estrés. Pero, ¿qué es el estrés? El estrés es una reacción. Es la reacción que nuestra mente y nuestro cuerpo produce siempre que la sobrevivencia se ve amenazada.

Cualquier amenaza real o imaginaria, ruido o movimiento inesperado, accidente, caída, golpe, cambio repentino de temperatura, preocupación con el presente o el futuro, posible pérdida de algo o de alguien querido, obstáculo o problema inesperado, peligro a la seguridad o problema de salud o enfermedad causarán una reacción de estrés. El estrés es una reacción instantánea que puede llegar a ser tan violenta que nos cause un fulminante ataque al corazón.

Generalmente el estrés no llega a producirnos un ataque al corazón pero sí genera un estado de ALARMA GENERAL tan pronunciado que todo nuestro sistema hormonal y nervioso se ve afectado. Digamos que cada célula del cuerpo se afecta por la reacción llamada estrés. Es un efecto que definitivamente es acumulativo. Basta con observar lo envejecida y deteriorada que se ve a una persona después de la pérdida de un ser querido para saber que el estrés afecta a todo el cuerpo en mil y una formas.

Por otro lado, después de haber experimentado un estado de estrés, el cuerpo y la mente tardan algún tiempo en lo que vuelven a ganar la calma y el orden interno. El estrés es un factor de desequilibrio que causa un estado de DESORDEN a nivel de todo el cuerpo.

Algunas personas viven en un estado de estrés tan constante y continuo que ya no logran distinguir si sienten estrés o no. Cuando el estrés se hace presente de forma rutinaria a la persona se le dificulta el hacerse consciente de que está pasando por una situación de vida estresante. Por ejemplo, una persona que se ve forzada a trabajar en un sitio donde le maltratan tendrá un estrés casi continuo mientras asista a su trabajo. Lo mismo pasa cuando la persona experimenta problemas de pareja o familiares y tiene que vivir con ello día tras día.

Además de los daños observables a simple vista que produce el estrés al cuerpo y a la salud hay un factor que es medible. Es el factor hormonal. Cuando hay estrés el cuerpo produce un exceso de la hormona *cortisol*[†]. A esta hormona, *cortisol*, se le llama "la hormona del estrés" porque se produce siempre que se genera una situación de estrés.

La hormona *cortisol* se produce en las glándulas adrenales que están localizadas arriba de cada uno de nuestros riñones.

EL ESTRÉS PROVOCA LA PRODUCCIÓN DE *CORTISOL*

La hormona *cortisol* es parte vital de nuestro sistema interno de ALARMA. El cuerpo produce esta hormona con el propósito de manejar cualquier emergencia que se haya detectado en el ambiente. Es una hormona que prepara al cuerpo para huir o para pelear. Fue diseñada por la naturaleza para poder sobreponernos a una situación peligrosa utilizando el máximo de nuestros recursos físicos y mentales. Por esta razón cuando se produce la hormona *cortisol* en respuesta a una situación de estrés el cuerpo responde a esta hormona produciendo unos cambios internos que nos ayudan a sobrevivir el supuesto peligro o amenaza. Son cambios internos como subir la presión arterial (por si hay que correr o pelear) y como aumentar grandemente el nivel de glucosa (azúcar de la sangre) a niveles más altos (para que las células tengan suficiente energía disponible para combatir la amenaza), entre otros.

Si la fuente de estrés fuera un tigre que nos persigue para descuartizarnos, todo el exceso de glucosa que el *cortisol* puso en nuestra sangre sería consumido por nuestro esfuerzo de correr para alejarnos del tigre y no habría glucosa excedente después del periodo de estrés. El problema es que cuando la fuente del estrés es de corta duración, digamos una mala noticia, los niveles de glucosa aumentan debido al *cortisol,* pero al no ser consumidos por las células se convierten en grasa para almacenar. La glucosa es la fuente de energía principal de todas las células de nuestro cuerpo pero, cuando no se utiliza y está excedente, el cuerpo la convierte en grasa para almacenarla como fuente de energía para una ocasión futura. De aquí que el estrés produce un exceso de glucosa en la sangre a través de la acción de la hormona *cortisol* y ese exceso de glucosa termina depositándose en nuestra cintura, caderas y abdomen en forma de grasa. Sí, el estrés engorda.

Hay que mencionar que la fuente de estrés puede ser externa o interna. Con esto quiero decir que si bien es verdad que una mala noticia (algo externo al cuerpo) ocasiona un estrés que produce grandes cantidades de *cortisol*, también es verdad que una situación de infección o enfermedad interna del cuerpo produce grandes cantidades de *cortisol*; porque el cuerpo percibe la situación como algo peligroso y reacciona a ello con un aumento en la producción de *cortisol*. Ejemplo: personas que tienen infecciones internas del cuerpo de bacterias, virus, hongos o parásitos se verán muchas veces aumentando de peso casi sin tener que comer mucho debido al aumento de *cortisol*. Cualquier estrés, externo o interno, producirá más *cortisol* y ello reduce el metabolismo y nos engorda.

El *cortisol* que produce el estrés tiene otras manifestaciones como causar una pérdida de memoria o de concentración. Por eso, cuando estamos estresados no podemos pensar claramente. El *cortisol* también reduce el sistema inmune que es nuestro sistema de defensa interno. Las personas bajo estrés se enferman con mucha facilidad y de forma frecuente. El *cortisol* afecta nuestro sistema digestivo y puede producir un estado de acidez estomacal e inclusive úlceras estomacales. El estrés produce *cortisol* y el *cortisol* en exceso tiene la capacidad de erosionar todos nuestros órganos y células. Inclusive, se ha visto que el estrés aumenta la acidez interna del cuerpo y reduce los niveles de oxígeno, lo cual agrava aún más el funcionamiento del metabolismo.

Las personas que viven en condiciones de estrés de trabajo o de familia engordan con muchísima facilidad porque sus niveles de *cortisol* tienden a ser excesivamente altos. El *cortisol* aumenta la glucosa en la sangre dándole órdenes al hígado de que utilice su reserva de glucosa y la deposite en la sangre para manejar la emergencia del estado de ALARMA. Cuando ocurre una situación de estrés y el *cortisol* logra que se utilice nuestra reserva de glucosa del hígado automáticamente sentimos hambre, en especial por los alimentos dulces o los que son fuente de glucosa como los carbohidratos: pan, harina, chocolates, pasta, etc. O sea, que el estrés no solamente engorda, también da hambre. Por eso una persona que se siente deprimida por un problema de familia o personal muchas veces termina desquitándose con la nevera.

Existen estrategias naturales que se utilizan para controlar los efectos dañinos del estrés. Inclusive hay suplementos naturales que pueden controlar la producción excesiva de la hormona *cortisol* para evitar que el estrés nos engorde y nos dé hambre. Cuando se limpia al cuerpo de hongos o parásitos se reducen los niveles de estrés interno y por ende bajan los niveles de *cortisol*. Es así como muchas personas han bajado de peso después de hacer una limpieza de hongos o de parásitos utilizando suplementos naturales. Todo lo que reduzca el estrés nos aumentará el metabolismo y nos ayudará a rebajar. Un mejor trabajo, una buena pareja, un pasatiempo entretenido, unas vacaciones agradables son acciones exitosas para aumentar el metabolismo y reducir el estrés.

El estrés produce *cortisol* y ya se descubrió que la hormona *cortisol* interfiere con la glándula tiroides, lo cual reduce el metabolismo. O sea, esta es otra forma en la cual el estrés nos reduce el metabolismo porque interfiere con nuestra tiroides.

La mejor manera de saber si el estrés nos está afectando demasiado, y si esa es una de las razones para experimentar el metabolismo lento, es observando nuestra calidad de sueño. Resulta que como la hormona *cortisol* es una hormona de ALARMA ella crea en el cuerpo un estado de ALERTA que no nos permite dormir placenteramente. Cuando hay demasiado *cortisol* en nuestra sangre se nos hace muy difícil conciliar el sueño. Por otro lado, el exceso de *cortisol* causa que durmamos un sueño poco profundo y nos levantamos sintiéndonos cansados por la mañana. El *cortisol* causado por el estrés mantiene a las células en un estado de constante ALARMA y ello logra que el sueño no sea uno profundo y reparador porque ¿quién puede dormir tranquilo cuando se está en peligro?

A través de los años he aprendido a nunca preguntarle a una persona si está pasando por algún estrés que no le permita bajar de peso. Me di cuenta de que algunas personas viven bajo un estrés tan constante que ya no pueden distinguir si sienten estrés o no. Como siempre están bajo estrés lo consideran su estado "normal". Por eso la única pregunta que le hago a una persona para saber si está teniendo demasiado *cortisol* generado por estrés es: ¿qué tal es tu calidad de sueño? La contestación a esa pregunta me dice lo que deseo saber en relación al nivel de estrés que está experimentando la persona.

Algo adicional que se sabe sobre el *cortisol* y sobre el estrés es que cuando experimentamos una condición de estrés los niveles de *cortisol* suben dramáticamente y perduran en el cuerpo por más de 8 horas después del incidente antes de regresar a los niveles normales. O sea, que los efectos del alto nivel de *cortisol* son duraderos. Sin embargo, cuando hacemos ejercicio moderado (caminar, nadar) por unos 30 a 45 minutos el cuerpo elimina grandes cantidades del *cortisol* a través del hígado y eso mismo hace que el estado de ALARMA que produce el *cortisol* se termine muchísimo antes. Por eso muchas personas observan que si han pasado un día muy estresante se les hará muy difícil dormir a menos que hagan un poco de ejercicio antes de irse a la cama. El ejercicio les permite tener un sueño conciliador porque reduce los niveles de *cortisol* que estaban en la sangre.

El metabolismo se ve grandemente afectado por la hormona *cortisol* que se genera durante los momentos de estrés. Basta con saber esto para darnos cuenta de que nuestro estilo de vida está relacionado a la condición de nuestro metabolismo y estado de salud general.

MALA DIGESTIÓN

Algo observable en las personas que están sobrepeso u obesas es que muchas veces padecen de uno o varios de estos problemas digestivos: acidez estomacal, reflujo, gases intestinales, flatulencia o estreñimiento. En general son problemas de tipo digestivo que los medicamentos no pueden eliminar en su totalidad.

Otro de los factores que reduce el metabolismo es la mala digestión. Esto pasa debido a que los alimentos que comemos no pueden ser utilizados por las células del cuerpo a menos que en el proceso digestivo se reduzcan a sus más pequeños tamaños moleculares para garantizar la absorción. O sea, nuestras células no pueden utilizar un pedazo de carne porque la carne es una proteína cuya molécula es demasiado grande como para caber dentro del espacio ínfimo de una célula. Lo que alimenta a nuestro cuerpo y sube el metabolismo no es lo que nosotros comemos, es lo que nuestro cuerpo pueda absorber a través de la digestión.

Los alimentos que consumimos están compuestos de átomos minúsculos y a menos que estos alimentos puedan ser convertidos a sus más pequeños tamaños moleculares no se podrán aprovechar por las células. Es un problema de tamaños.

Los alimentos empiezan a digerirse desde que nuestra saliva entra en contacto con ellos al ingerirlos. Luego en el estómago, el cuerpo utiliza unas enzimas y unos ácidos muy poderosos que cuando funcionan bien logran romper hasta el más duro de los alimentos, digamos algo como un cuero de cerdo. La digestión luego continúa a través del intestino donde el ambiente en vez de ácido se torna alcalino (contrario de ácido) y eso termina de digerir todo aquello que anteriormente no se digirió. Finalmente, en la última parte del intestino delgado, los nutrientes son extraídos de los alimentos que ya han sido ablandados y descompuestos molecularmente por el sistema digestivo. El proceso tarda entre 12 a 16 horas en completarse. Cuando la persona padece de estreñimiento puede tardar hasta 36 horas o más.

Una de las maneras más efectivas de subir el metabolismo y bajar de peso es mejorando la digestión. Hay varias ayudas que funcionan. Son cosas como:

- Tomar mucha agua. El agua mejora la digestión porque elimina la acidez excesiva y crea el medio de transportación más efectivo que existe para los nutrientes, la sangre. Muchos de los casos de acidez estomacal son sólo casos de deshidratación donde el cuerpo se ve imposibilitado para crear las sustancias alcalinas que contrarrestan los ácidos del estomago por falta de agua.

- Usar enzimas digestivas. Cuando la persona ya tiene una situación de mala digestión (acidez, reflujo, gases) el usar cápsulas o tabletas de enzimas digestivas con cada comida puede ser una verdadera ayuda para levantar el metabolismo. Las enzimas ayudan al cuerpo a digerir la comida en su totalidad y eso aumenta la absorción de los nutrientes lo cual sube el metabolismo. Hay enzimas digestivas para digerir proteínas, carbohidratos y grasas. Generalmente los distintos tipos de enzimas vienen combinadas en cápsulas o tabletas y se consiguen en las tiendas de productos naturales.

- <u>Reducir los carbohidratos refinados</u> como pan, harina, pasta, arroz y azúcar. Estos carbohidratos refinados causan un exceso de acidez debido a que todos ellos, cuando se utilizan en exceso, se convierten en un sobrante de glucosa (azúcar de la sangre). Y la glucosa cuando se acumula dentro del cuerpo se fermenta y se convierte en ácido láctico, lo que aumenta la acidez del cuerpo y reduce la absorción. Muchas personas que padecían de problemas digestivos vieron sus problemas desaparecer tan pronto redujeron los carbohidratos refinados en su dieta.

- <u>No combinar alimentos que no combinan bien</u> como decir frutas y queso. Los vegetales en general combinan bien con las carnes, huevos y quesos pero las frutas se fermentan cuando se les combina con proteínas como carne, queso o huevo. Todo lo que se fermente durante la digestión producirá gases. Además los alimentos que se fermentan durante la digestión no pueden ser utilizados por el cuerpo y tienden a reducir el metabolismo en vez de aumentarlo.

Cuando la comida crea gases dentro del cuerpo es solamente debido a que se está fermentando o descomponiendo. Una digestión saludable no produce ni gases ni malos olores.

Por experiencia he visto que el sólo hecho de reducir los carbohidratos refinados y aumentar el consumo de agua produce milagros. La gente que lo hace deja de usar medicamentos antiácidos y empiezan a disfrutar de una buena digestión y de un metabolismo más ágil que contribuye a adelgazar o a mantener la figura.

A veces tendemos a pensar que las soluciones a un problema deben ser complejas mientras tenemos el remedio justo "delante de nuestra narices". Si una persona padece de acidez, úlceras, reflujo u otros problemas digestivos se le hará prácticamente imposible adelgazar. La solución puede ser tan simple como dejar de usar los refrescos carbonatados (ejemplos: Coca Cola®, Pepsi-Cola®, 7-Up®) que son ácidos, aumentar el consumo de agua y reducir los carbohidratos refinados.

En principio todo lo que dificulte la digestión hará que nuestro metabolismo se reduzca y todo lo que haga a la digestión más eficiente acelerará nuestro metabolismo. La mala digestión producirá una mala absorción de los nutrientes. La mala absorción lleva al cuerpo a un estado de muy poca energía celular. El estado que esto produce se llama "metabolismo lento". Para bajar de peso y para acelerar el metabolismo se hace esencial mejorar el proceso digestivo.

SUSTANCIAS ENEMIGAS

ESTE ES UN DATO VITAL

Todo lo que ingerimos tiene algún efecto sobre el cuerpo. Esto es así con todos los alimentos, los medicamentos, los preservativos, los colorantes y con cualquier sustancia que sea parte de lo que comemos o tomamos.

Algunas de las sustancias de las que comúnmente usamos son perjudiciales al metabolismo y lo ponen más lento. Este es el caso de los aceites poliinsaturados[†] como el aceite de maíz, aceite de soya o el aceite vegetal que comúnmente compramos en el supermercado y que se utilizan como ingredientes de los alimentos preparados.

Distintos investigadores han comprobado que los aceites poliinsaturados como maíz, soya y aceite vegetal interfieren con la función de la glándula tiroides. El aceite más perjudicial a la tiroides parece ser el aceite de soya. Como la glándula tiroides controla el metabolismo del cuerpo estos aceites tienen el efecto de reducir el metabolismo. Por esta razón se recomienda utilizar aceites como el aceite de canola[1] o el aceite de maní (*"peanut"*) para freír y el aceite de oliva para todos los casos donde no hay que freír. La limitación del aceite de oliva es que no soporta mucho calor y por eso no se recomienda para freír.

Para proteger el metabolismo es necesario evitar estos aceites poliinsaturados como el maíz, la soya y el aceite vegetal.

---

[1] canola: tipo de aceite vegetal extraído de la semilla de "rapeseed".

Como estamos hablando de los aceites es apropiado que también toquemos el tema de las grasas. Por muchos años hemos sido bombardeados por los distintos medios de comunicación con una publicidad intensiva para alertarnos sobre los peligros del colesterol y para vendernos productos sin colesterol. De ahí nació la idea maravillosa de sustituir la mantequilla de vaca que contiene colesterol por una grasa llamada margarina. A simple vista parecía una buena idea.

Lo que no nos dijeron es que las margarinas – todas – contienen un alto contenido de los llamados "ácidos transgrasos" ("*trans fatty acids*") que son muy dañinos a nuestra salud y que de hecho reducen el metabolismo. La margarina es un producto industrial que se crea de forma muy violenta. El proceso que se llama "hidrogenación" es a base de utilizar algún aceite poliinsaturado líquido (maíz, soya, girasol, vegetal) y calentarlo a muy altas temperaturas, mientras se le aplica corriente y a la misma vez se le bombea gas hidrógeno para lograr que el aceite se vuelva sólido. Cuando el hidrógeno se une a las moléculas de aceite el aceite se vuelve una grasa blanca que se puede untar. Pasa de líquido a sólido.

Los ácidos transgrasos son moléculas de grasa que han sido dañadas y deformadas por el calor y la corriente del proceso. Son moléculas de grasa que han perdido su forma molecular normal y han quedado deformes. Debido a esto el cuerpo las trata como si fueran tóxicos porque no las reconoce como comestibles y no las puede usar para su sustento. Hay una nueva regulación federal de la Administración de Alimentos y Drogas (FDA) que obliga a los fabricantes a rotular sus alimentos publicando en las etiquetas el contenido de ácidos transgrasos que cada alimento contiene. Esto lo han logrado los grupos de consumidores que le han hecho presión a la FDA para obligar a los fabricantes de alimentos a revelar los contenidos de estas grasas alteradas molecularmente. La margarina en algunos casos llega a estar compuesta hasta en un 40% de ácidos transgrasos.

Los fabricantes de margarina saben que nosotros no compraríamos esa grasa blanca porque no se ve apetecible. Por lo tanto, en un destello de mercadeo magistral lo que hacen es mezclarla con un colorante amarillo (colorante *"yellow"* #5) para que se parezca lo más posible al color de la mantequilla y a nosotros nos parezca apetecible como la mantequilla. Si viéramos su verdadero color blanco y grasoso no se nos ocurriría untársela al pan porque es algo abominable.

Contrario a lo que al público consumidor de margarina se le quiere hacer pensar, hay varios estudios que reflejan que el uso de la margarina aumenta el colesterol y aumenta también la incidencia de problemas del corazón. Si usted decide subir el metabolismo y adelgazar debe evitar la margarina. La mantequilla por otro lado es una grasa saturada que contiene colesterol pero es una grasa que el cuerpo puede utilizar de forma natural y que no contiene los ácidos transgrasos que son perjudiciales a la salud. La mantequilla es amarilla porque la vaca y la creación así lo decidieron, no contiene colorantes. La mantequilla le ayudará a adelgazar, la margarina le hará engordar.

Por otro lado, la soya ha sido promovida a gran escala por los grandes intereses agrícolas y por la industria alimentaria como algo "saludable". La realidad es que los estudios que se han usado para demostrar los beneficios de la soya son estudios que se hicieron en el Japón donde la soya se fermenta (ejemplos: salsa soya, tofú). El proceso natural de fermentación destruye las propiedades bloqueadoras de la tiroides y hace que la soya sea saludable. Nuestra realidad en occidente es que la soya se procesa de forma industrial, sin fermentación. Por eso la soya que nosotros recibimos no es algo saludable. La soya que se vende en nuestros mercados, cuyo proceso de elaboración no incluye fermentación, contiene compuestos llamados "goitrógenos"[†] que reducen la función de la tiroides. Estos compuestos interfieren con el mineral yodo que es esencial al buen funcionamiento de la tiroides. He visto a muchos vegetarianos que han empezado a tener problemas de obesidad por su alto consumo de soya en sus diferentes formas. Si usted padece de un metabolismo lento, evite la soya.

Muchos estudios demuestran el daño que puede producir la soya. Investigadores en el Colegio de Medicina de la Universidad de Cornell dijeron que los bebés que habían sido alimentados con una fórmula de leche de soya eran más propensos a desarrollar problemas de la tiroides. También se descubrió que estos bebés alimentados con soya tenían más del doble de la incidencia de diabetes que los bebés que no utilizaron soya.

Hay otra sustancia que definitivamente reduce el metabolismo y no ayuda a las personas a adelgazar. Es el edulcorante [1] artificial aspartame® que se vende en el mercado bajo varias marcas comerciales como *Nutra Sweet®*, *Equal®*, *Same®* y otras marcas. Esta sustancia, aspartame®, reduce el metabolismo y causa un deseo por los alimentos dulces. Esto es algo que he observado después de haber trabajado con más de 10,000 personas dentro del sistema Natural Slim™. Si la persona que deseaba bajar de peso usaba algún refresco o alimento endulzado con aspartame® o no bajaba de peso o bajaba lentísimo. Tan pronto se eliminaba el aspartame® de la dieta la persona empezaba a bajar de peso más rápidamente.

---

[1] edulcorante: sustancia que se utiliza para endulzar alimentos o bebidas.

En una ocasión traté de comunicar esta información en el sitio de Internet de Natural Slim™, www.rebajar.com, y recibimos una amenaza legal del fabricante de aspartame®. Decidimos retirar nuestra opinión de Internet porque la alternativa era gastarse una pequeña fortuna en defenderse de los ataques de los abogados del fabricante de aspartame® que se dedican a amedrentar a todo aquel que trate de decir algo que a ellos no les convenga. Pero, la verdad es la verdad.

De todas maneras, si usted interesa proteger su metabolismo va a tener que leer las etiquetas para que elimine el aspartame® de su dieta. Hay otros edulcorantes artificiales que no parecen tener el efecto reductor del metabolismo que tiene el aspartame®. Son otros edulcorantes artificiales como *sucralose®* (*Splenda®*) y *Acesulfame Potassium (Asesulfame K®).*

La otra sustancia que es enemiga del metabolismo es: el fluoruro. El fluoruro que contiene en muchos estados el agua del grifo que utilizamos para cocinar o bañarnos. El fluoruro está también en las pastas de dientes. Lo que se sabe es que el fluoruro suprime la función de la glándula tiroides. De hecho, para los años 50 el fluoruro se utilizaba como medicamento para reducir la función de la tiroides en los casos de personas con hipertiroidismo[†], precisamente porque se descubrió que reducía la función de la tiroides. En un estudio, se demostró que una dosis de fluoruro de 2.5 a 4.5 miligramos por día era exitosa para reducir la producción de hormonas de la tiroides y tratar el hipertiroidismo. En áreas donde el agua contiene fluoruro, el consumo diario puede llegar hasta 6.5 miligramos por día, lo cual puede afectar su tiroides negativamente.

Si usted experimenta un metabolismo lento debe cuidarse del fluoruro utilizando una pasta de dientes sin fluoruro. Su agua debe ser embotellada o filtrada en algún tipo de filtro que garantice la remoción del fluoruro. Debe también evitar los tratamientos de fluoruro que utilizan los dentistas para blanquear los dientes.

En la lucha por recuperar el metabolismo es vital que evitemos las sustancias que reducen el metabolismo.

LAS "INTOLERANCIAS" DEL CUERPO

ESTE ES UN DATO VITAL

Casi todo el mundo sabe lo que es una alergia. Las alergias se relacionan con picores, mucosidad, estornudos, dolores de cabeza, ataques de asma y otras manifestaciones. En algunos casos las reacciones alérgicas pueden ser eventos peligrosos. Como cuando una persona que es alérgica a los mariscos ingiere una comida de mariscos y se causa una reacción alérgica que lo puede llevar hasta el hospital.

Una alergia es una reacción del sistema inmune del cuerpo que por alguna razón ha identificado a algún alimento o sustancia (colorante, preservativo, químico, etc.) como "enemigo" y le ataca como tal. Las alergias se hacen notar: hinchazón, picor, dolor de cabeza, mucosidad, etc.

Ahora, en el tema del metabolismo lento también se ha descubierto que existen las "intolerancias" del cuerpo. Las intolerancias son reacciones menos obvias del cuerpo a aquellos alimentos que no tolera pero que no llegan a reflejarse tan violentamente como las alergias. Son reacciones a alimentos que el cuerpo rechaza. Se ha visto que cuando consumimos uno de estos alimentos el metabolismo se reduce y se nos hace difícil o imposible el bajar de peso.

Las "intolerancias" del cuerpo son más difíciles de detectar que las alergias debido a que no provocan una reacción alérgica visible. Sin embargo, si su cuerpo resulta ser intolerante a algún alimento y usted lo consume podrá notar cómo su metabolismo se estanca y no podrá bajar de peso.

En mi búsqueda por las razones detrás del metabolismo lento descubrí que las "intolerancias" existen. Cuando comemos algún alimento que a nuestro cuerpo no le gusta el metabolismo se disminuye y se nos hace imposible adelgazar.

Al trabajar con miles de personas que deseaban adelgazar he observado que los alimentos que producen más "intolerancias" son el maíz, la soya y el trigo. Cuando su cuerpo es "intolerante" a uno o varios de ellos el metabolismo se estanca y su cuerpo no cederá la grasa.

El maíz es la fuente del edulcorante[1] principal de la industria de los refrescos carbonatados. Es el sirope de maíz (*"corn syrup"*). Por ejemplo, la Coca-Cola®, al igual que casi todos los otros refrescos carbonatados, se endulza con *"corn syrup"*. El sirope de maíz está contenido en una gran cantidad de alimentos preparados porque es un edulcorante muy económico y los fabricantes lo prefieren por ello. Hay mucha gente que si consume cualquier producto derivado del maíz simplemente no podrán bajar de peso. Me ha costado bastante trabajo aprender esto. Trabajando con miles de personas que deseaban rebajar fui observando que esto es así.

En una ocasión estuve ayudando a bajar de peso a un miembro del sistema Natural Slim™ y me topé con un caso claro de intolerancia al maíz y sus productos derivados. Si no me hubiera dado cuenta de que algo estaba parando el metabolismo de este miembro esta persona hubiera fracasado en su intento por bajar de peso.

---

[1] edulcorante: sustancia que se utiliza para endulzar alimentos o bebidas.

Para poder investigar las causas del metabolismo lento muchas veces he tenido que asumir la postura de un detective. La experiencia me ha demostrado que cuando una persona está bajando de peso exitosamente y de momento deja de bajar y se estanca es debido a que alguno de los factores que afectan su metabolismo cambió. El tiempo me ha entrenado a preguntar "¿qué cambió?" cuando observo que algo que estaba funcionando bien de repente deja de funcionar. No creo en la suerte, creo en la habilidad.

En el caso de este miembro fue una situación en la cual él venía bajando de 2 a 3 libras de grasa cada semana de forma continua. Ya este señor había bajado más de 40 libras y estaba tratando de bajar las últimas 20 libras que tenía de exceso de grasa. Era una satisfacción verlo todas las semanas porque siempre nos comentaba lo bien que se sentía y la verdad es que cada semana se veía físicamente mejor que la semana anterior.

Sin embargo, después de muchas semanas en que venía bajando de peso todas las semanas, de repente dejó de bajar. Tratamos de esperar hasta la visita de la próxima semana y tampoco bajo de peso. ¡Se había estancado! Algo lo estaba parando. Algo estaba obstaculizando su metabolismo. La lógica me decía que alguien que lleva tantas semanas teniendo éxito en bajar de peso no deja de tener éxito por pura casualidad.

En la segunda semana en que no bajó de peso me senté a dialogar con el señor para ver qué había cambiado. De inicio él no encontraba nada que hubiera cambiado en su rutina de adelgazar ni en su consumo de alimentos. Seguí insistiendo hasta que de momento me dijo "la semana pasada y la anterior compré unos chocolates sin azúcar que son bajos en carbohidratos". A mi me vino a la mente el hecho de que Natural Slim™ vende unos chocolates especiales para las personas que quieren bajar de peso que son sin azúcar y bajos en carbohidratos. Pero, estos chocolates son endulzados con un edulcorante llamado *maltitol* que aunque no contiene carbohidratos es un producto derivado del maíz.

Sospeché que quizá este señor era intolerante al maíz porque había leído varios libros escritos por médicos alergistas que hablaban de las personas cuyo cuerpo rechaza el maíz como alimento. Le pregunté si había observado que al ingerir estos alimentos había tenido gases en su intestino o flatulencia. Me dijo que sí, que había estado teniendo gases. Recordé que cuando algún alimento es rechazado por el cuerpo el mismo no se digiere y se descompone dentro del cuerpo creando gases.

Le pedí a este miembro de Natural Slim™ que hiciera su rutina y dieta usual como la había aprendido de nosotros pero que se asegurara de no consumir nada que contuviera *maltitol*, ni maíz. Fue un milagro, ¡la próxima semana este señor estuvo brincando de alegría porque había rebajado 7 libras de grasa en esa semana!

En el caso de este señor descubrimos que su cuerpo era intolerante al maíz y a sus productos derivados como el *maltitol*. Desde que dejó de usar los chocolates y se cuidó de evitar el maíz el señor siguió bajando de peso y finalmente logró su meta de bajar las 60 libras de exceso de grasa con las que había empezado.

Con la soya y sus productos derivados nos pasó lo mismo. Algunas personas, si utilizan soya, simplemente no bajan de peso. En los inicios de Natural Slim™ utilizábamos una batida de proteínas de soya. Observamos que algunas personas bajaban de peso muy bien y otras o bajaban lentísimo o no bajaban. Empezamos a sospechar de la soya y sus "goitrógenos"[†] y comenzamos a utilizar las proteínas de whey (suero de leche). Cuando pusimos a los que no bajaban de peso con la batida de proteínas de soya a utilizar la batida de whey todos ellos empezaron a bajar de peso. Fue así como terminamos eliminando todos los productos que ofrecíamos que contenían soya o derivados.

Por último, quizá la intolerancia más común que hemos observado es la intolerancia al trigo. El trigo contiene una proteína llamada "gluten" a la cual muchas personas tienen "intolerancia". El trigo es la fuente del pan, las harinas y las pastas. Para algunas personas comer un poco de pan es equivalente a no poder bajar de peso. A ellos les encanta el pan pero a sus cuerpos no les gusta el pan ni ninguno de los alimentos fabricados con trigo. Yo soy uno de esos casos. En mi caso, si quiero bajar de peso, tengo que eliminar totalmente el trigo de mi dieta. Puedo comer pequeñas porciones de arroz, papas, plátano y otros almidones. Pero, si pruebo un poquito de pan o si como alguna carne empanada simplemente mi metabolismo se para y deja de quemar grasa.

En mi caso, descubrí que el trigo es la "intolerancia" principal de mi cuerpo. En cientos de otras personas he visto lo mismo. Yo terminé comprando galletitas hechas de arroz y pan hecho de papa en las tiendas de productos naturales para poder disfrutar de una tostada o de galletitas de vez en cuando. Existe toda una variedad de productos "sin gluten" en el mercado porque son muchas las personas que son alérgicos o "intolerantes" al trigo.

Debo mencionar que algunas personas tienen también una intolerancia a la carne de cerdo. El cerdo, por alguna razón, no es aceptable para el cuerpo de algunas personas y se les hace muy difícil bajar de peso cuando consumen carne de cerdo, chorizos o chicharrón de cerdo.

Las intolerancias tienen que ver con nuestros factores hereditarios. Algunos de nuestros antepasados vinieron de Europa, otros de los países nórdicos, otros de África y otros de Oriente. Todos traemos distintos genes que determinan qué alimentos son aceptables y cuáles no son aceptables para nuestros cuerpos. Las intolerancias son reacciones de tipo alérgicas pero sin manifestaciones claras. Son reacciones a los alimentos que no pertenecían a nuestra herencia celular. O sea, alimentos que no existían en las áreas donde nuestros antepasados se desarrollaron.

Más allá de la dificultad para bajar de peso y el metabolismo lento que producen las intolerancias al maíz, soya o trigo hay algo que se puede notar cuando consumimos algún alimento que nuestro cuerpo no desea. En muchos casos, cuando consumimos un alimento al que nuestro cuerpo es intolerante, se produce: mucosidad, gases estomacales, gases intestinales, acumulación de líquidos o estreñimiento.

De todas maneras, no se trata de eliminar el maíz, la soya ni el trigo. Se trata de DESCUBRIR cuáles de ellos son los que nuestro cuerpo rechaza para evitarlos. Yo descubrí que mi única intolerancia es al trigo. Desde que lo supe puedo bajar peso cuando así lo deseo. Solamente reduzco los carbohidratos refinados y evito el trigo.

La clave es ponerse atento y observar. Siempre que uno consume un alimento al cual es intolerante se producen unas manifestaciones. Son manifestaciones sutiles pero observables. Reacciones como gases estomacales, gases intestinales, flatulencia, mucosidad o inclusive hinchazón. La hinchazón se produce porque cuando el cuerpo confronta un alimento que considera "enemigo" las células se llenan de agua y se ponen más grandes lo cual causa una hinchazón. La hinchazón es una retención de líquidos. Uno puede observar cómo de repente la ropa le queda más apretada, los anillos dan trabajo para sacarlos de los dedos y hasta los zapatos pueden apretarle a uno. Es una hinchazón de agua que se ocasiona como reacción al alimento al cual se es intolerante.

Las intolerancias no aplican a todo el mundo. Hay personas que no tienen ninguna intolerancia. Lo que es importante es que usted sepa que existen las intolerancias. La idea es que usted pueda detectarlas en su cuerpo antes de que algún alimento le reduzca el metabolismo y le haga fracasar por no saber que este tipo de situación existe.

Una forma adicional de saber si existe algún alimento al que nuestro cuerpo es intolerante es observar los antojos que siente. Curiosamente aquellos alimentos que más nos pide el cuerpo son los mismos a los que somos intolerantes. Si su cuerpo le está imponiendo un fuerte deseo de comer galletitas es muy posible que usted resulte ser intolerante al trigo de las galletitas. Los alimentos a los que somos intolerantes generalmente son los mismos que constantemente nos pide con fuerza nuestro cuerpo.

Haga la prueba y decídase a eliminar, uno a uno, los distintos alimentos que su cuerpo le pide en forma de antojo. Si usted elimina uno de ellos y de momento baja el doble de peso en una semana de lo que normalmente había estado bajando habrá usted encontrado una de las intolerancias de su cuerpo. Cada intolerancia es como un freno para el metabolismo. Si quita las intolerancias habrá quitado los frenos que le estaban causando un metabolismo lento. ¡El conocimiento es poder!

DESAYUNO DEFICIENTE

ESTE ES UN DATO VITAL

Una de las malas costumbres que más afecta el metabolismo de las personas que están sobrepeso es que no desayunan adecuadamente. El desayuno es la comida más importante del día para cualquier persona, pero en especial para aquellos que quieren bajar de peso o recobrar el metabolismo.

Cuando nuestro cuerpo duerme por la noche el metabolismo se reduce porque el cuerpo entra en su periodo de "reparación". Al dormir se reducen todas las funciones básicas del cuerpo y hasta la respiración es mucho más lenta de lo normal. Para dormir es necesario reducir el metabolismo y la producción de energía del cuerpo.

Al despertar por la mañana el metabolismo permanece a una baja velocidad hasta que pase una de dos cosas: o se ingieren alimentos (lo cual le da la señal al cuerpo de que debe subir su metabolismo) o se hace una rutina de ejercicios (lo cual fuerza al cuerpo a subir la producción de energía y el metabolismo). O sea, sólo dos cosas suben el metabolismo temprano en la mañana, comer o hacer ejercicio.

Está demostrado que las proteínas (carne, huevo, queso, etc.) y las grasas suben el metabolismo de forma más marcada que los carbohidratos (pan, harina, avena, etc.). Si uno desea "despertar" su metabolismo desde temprano en la mañana el desayuno debe ser alto en proteínas y bajo en carbohidratos.

La persona que no desayuna y trata de pasar la mañana con un café y un pedazo de pan va poco a poco reduciendo su metabolismo porque simplemente no logra "despertarlo". La experiencia de ayudar a miles de personas a bajar de peso me ha a demostrado que un desayuno alto en proteínas (ejemplo: huevos con jamón con media rebanada de pan) logra que una persona suba su metabolismo y pueda tener oportunidades de bajar de peso. Si la proteína es en forma de una batida de proteína de whey[†], entonces los resultados serán mejores.

Hay una frase popular que expresa lo que debe ser nuestra alimentación. La frase dice "deberíamos desayunar como un rey, almorzar como un príncipe y cenar como un mendigo". Esta frase es una verdad. La comida más importante del día es el desayuno. Se llama "desayuno" porque es el momento de "romper el ayuno" de las horas en que el cuerpo estuvo durmiendo y reparando. El periodo más largo en el que nuestro cuerpo está sin alimentos es durante las horas de sueño.

La comida más liviana del día debe ser la cena. Los alimentos están compuestos de energía condensada. Comer fuertísimo por la noche fuerza una entrada de energía (comida) al cuerpo y al acostarse a dormir básicamente se reduce el uso de energía, lo cual fuerza un "almacenamiento" (sobrepeso). Es un aspecto de pura lógica, la cena debe ser como la de un mendigo y no como la de un rey.

En mi caso, tuve que cambiar mis hábitos para poder vencer la obesidad. Mi costumbre, cuando estaba obeso, era la de no desayunar. Sólo me tomaba un café temprano en la mañana y con eso me iba a trabajar. Al almuerzo comía "lo que apareciera", sin pensarlo mucho. La cena siempre era la mayor ingesta del día. Siempre la cena era alta en carbohidratos refinados (arroz, pan, papa, etc.) más algún postre dulce. Después de esa cena me daba tanto sueño que generalmente me quedaba dormido mirando la televisión. Era el equivalente de llenar los tanques de gasolina de un avión y luego apagar todos los motores para que la energía se aprovechara. Comer fuertísimo por la noche y acostarse a dormir es una forma segura de producir sobrepeso u obesidad.

Si se desea fortalecer el metabolismo es necesario empezar el día con un desayuno alto en proteínas digno de un rey. Luego continuar al almuerzo con una combinación de proteínas y carbohidratos de los que no son refinados (vegetales, ensaladas). Asegúrese de utilizar poca cantidad de los carbohidratos refinados (arroz, harina, pan, azúcar, etc.). Finalmente, se termina el día con una cena liviana para preparar al cuerpo para su periodo de sueño y reparación. En fin, se hace necesario entender la forma en que el cuerpo humano funciona y establecer un estilo de vida de alimentación que contribuya al metabolismo.

CANDIDA ALBICANS,
"LA EPIDEMIA SILENCIOSA"

ESTE ES UN DATO VITAL

En mi empresa, Natural Slim™, se ha ayudado a bajar de peso y a recobrar el metabolismo a más de 10,000 personas. En el proceso de trabajar con tantas personas que deseaban adelgazar aprendimos mucho. Tuvimos oportunidad de descubrir varios aspectos que son de verdadera importancia para cualquiera que desee recobrar su metabolismo y salir del sobrepeso o de la obesidad de una vez y por todas.

El tema del hongo candida albicans[1] es un dato vital. Es algo tan vital saber sobre esto que, cuando en Natural Slim™ descubrimos que este hongo reducía el metabolismo del cuerpo, empezamos a utilizar un programa natural de limpieza de hongos y nuestro índice de éxitos prácticamente se duplicó. Al empezar a tratar las infecciones de este hongo en el cuerpo de las personas que se hacían miembros del sistema Natural Slim™ logramos que rebajaran aun aquellas personas que habían fracasado en todos sus esfuerzos anteriores. Vimos cosas casi increíbles como el caso de una dama, que después de la limpieza de hongos, logró reducir su talla de la talla 22 hasta la talla 6, era algo impresionante. Habíamos descubierto la solución a una de las mayores

---

[1] candida albicans: es un hongo que habita en todos los cuerpos humanos. Existen distintas variedades de este hongo. La variedad llamada "albicans" es la más preveleciente en el cuerpo de las personas diabéticas, con sobrepeso u obesas. "Albicans" quiere decir "blanco". De hecho, este hongo se puede notar a veces como manchas blancas en la lengua de algunos bebés recién nacidos cuyas madres estaban infectadas del hongo *candida albicans*.

causas del "metabolismo lento" y eso nada más garantizaba nuestro éxito.

Candida albicans es uno de los muchos organismos que viven dentro del cuerpo humano. En especial en el intestino y en el área vaginal de la mujer viven unos organismos que son parte de la llamada "flora intestinal" o "flora vaginal". Entre estos organismos existen bacterias de distintas clases, varios tipos de hongos, algunos virus y en algunos casos algunos ciertos tipos de parásitos. No necesariamente nos gusta pensar en este tipo de cosas pero la verdad es que dentro de nuestro cuerpo sobreviven varios tipos de organismos como estos.

Todos los cuerpos humanos nacen con el hongo candida albicans como parte de su flora intestinal y vaginal. Es un organismo natural a todos los cuerpos humanos. Por esta misma razón la medicina tradicional no le ha dado mucha importancia al asunto. No obstante, desde los años 80 varios prominentes doctores alergistas y especialistas en organismos infecciosos han dado la voz de alerta sobre las crecientes infecciones del hongo candida.

El doctor William G. Crook, un médico alergista americano, con su libro *"Yeast Connection Handbook"* es posiblemente el exponente principal de lo que algunos han llamado "la epidemia silenciosa del hongo candida albicans".

Cuando este hongo ha crecido demasiado en el cuerpo se causa lo que llaman una "infección sistémica". Ya en este punto el hongo se transporta por la sangre e invade otros órganos del cuerpo creando serios problemas a la salud y al metabolismo. Las personas con infecciones sistémicas de este hongo siempre tienen un "metabolismo lento" y no logran bajar de peso bajo ningún régimen de dieta o ejercicio. Si bajan de peso lo hacen a un ritmo tan lento que generalmente se desaniman.

HONGO CANDIDA ALBICANS VISTO DE CERCA

Un investigador de este tema encontró que el hongo candida albicans produce 78 tóxicos distintos dentro del cuerpo y ello crea un ambiente tóxico y muy ácido dentro del cuerpo, lo que básicamente apaga el metabolismo. Tener una colonia muy desarrollada o un "sobrecrecimiento" de este hongo en el cuerpo es una de las razones principales por las que algunas personas tienen un "metabolismo lento" y ningún esfuerzo que hagan por adelgazar les funcionará mientras esto sea así. El cuerpo de una persona que tiene un "sobrecrecimiento" del hongo candida es un cuerpo repleto de tóxicos.

Los hongos como candida albicans fabrican "micotoxinas" (toxinas fabricadas por hongos). Este es un hecho bien conocido por los expertos en sustancias tóxicas. Por ejemplo, hay hongos que producen un tóxico llamado "aflatoxina" que se ha comprobado es altamente carcinógeno (causante de cáncer) e inclusive se ha utilizado como arma de guerra biológica por algunos países. En algunos casos las micotoxinas producidas por los hongos han envenenado los alimentos del ganado y han causado muchas muertes de animales a los criadores de ganado, porque son venenos poderosos que tienen la capacidad de paralizar el sistema nervioso y respiratorio de su víctima.

En mi experiencia, nada produce un aumento del metabolismo y de la habilidad para adelgazar más marcado que el hacer un programa de limpieza del hongo candida albicans del cuerpo.

Existen pruebas de laboratorio para detectar si la infección del hongo candida albicans es severa, pero las pruebas que miden los niveles en la sangre de varios de los tóxicos que produce este hongo cuestan más de $300 y realmente no están disponibles en la mayoría de los laboratorios. La mejor manera de saber si el cuerpo está demasiado infectado de este hongo es usar una lista de "indicadores" que desarrolló el Doctor William Crook para sus pacientes. Quizá los indicadores más claros de la existencia de una infección severa de candida albicans en el cuerpo lo son los picores en la piel (principalmente por la noche o después de bañarse), muchos gases estomacales o intestinales después de comer, tener sinusitis o padecer de migrañas. La lista completa de los síntomas indicadores de candida albicans es la siguiente:

- Acné
- Alergia en ambientes húmedos
- Alergias a algunos alimentos
- Alergias a ciertas prendas o joyería de metales
- Cansancio continuo
- Cistitis (infecciones urinarias en la mujer)

- Diarreas constantes o frecuentes
- Dolor o ardor vaginal al tener sexo
- Dolores de cabeza o migrañas
- Dolores menstruales fuertes – PMS
- Dolores musculares
- Estreñimiento
- Fatiga o debilidad
- Flujo o picor vaginal
- Frío en las extremidades del cuerpo
- Gases estomacales o intestinales en exceso
- Infecciones de oídos
- Infecciones urinarias
- Irregularidad o trastornos en la menstruación
- Irritabilidad o depresión
- Picores en la piel (especialmente de noche o después de bañarse)
- Problemas con gases digestivos
- Resequedad excesiva en la piel
- Sabor "a metal" en la boca
- Salpullido o manchas en la piel al coger sol
- Sensibilidad a la luz solar, ojos que lagrimean
- Sensibilidad al olor de cigarrillos, perfumes o químicos
- Sinusitis

Mientras más indicadores se hayan detectado en el cuerpo más severa será la infección del hongo candida. Reconozco que esta lista de indicadores es imponente y una persona puede llegar a justificar sus síntomas basada en que los síntomas o indicadores están siendo causados por otra enfermedad o factor hereditario que tiene en su cuerpo. La realidad es que cuando una persona hace una limpieza del hongo candida albicans la gran mayoría, si no todos estos indicadores, desaparecen por completo. Esto es así en todos los casos, en especial en los casos de las personas que padecen de sinusitis o migrañas. A través de los años hemos observado cómo, caso tras caso, las sinusitis y las migrañas simplemente desaparecen después de haber limpiado el cuerpo de este hongo usando fungicidas (sustancias que matan hongos) naturales.

Nuestro interés siempre ha sido el ayudar a las personas a recuperar su metabolismo y adelgazar. Las curaciones casi milagrosas de condiciones como la sinusitis o la migraña, son sólo beneficios marginales de lo que hacemos para recuperar el metabolismo. Es sólo que no podemos dejar de observar que después de una limpieza natural del hongo candida las personas finalmente pueden adelgazar con mayor rapidez y en el proceso también desaparecen la gran mayoría de los indicadores o síntomas que este hongo causa.

Los médicos le llaman a la condición "candidiasis" pero generalmente sólo asocian esta infección severa del hongo candida albicans con los pacientes de cáncer en su estado terminal y con los pacientes del síndrome de inmunodeficiencia adquirida (SIDA o "AIDS" por sus siglas en inglés). La visión usual de la medicina es que como el hongo candida albicans lo tenemos todos no puede ser un problema muy serio a menos que la persona tenga un sistema inmune demasiado deprimido. No se puede culpar a los médicos por esta falta de habilidad para observar los síntomas de sus pacientes, ya que es la información limitada que reciben como educación sobre este tema en la escuela de medicina.

De hecho, algunos de los miembros más difíciles de ayudar en el sistema Natural Slim™ han sido aquellos miembros que son médicos de profesión. Cuando les hemos comunicado la importancia de lograr reducir la colonia del hongo candida albicans en su cuerpo para que logren bajar de peso más rápidamente, algunos han mostrado una resistencia al tema que es entendible. No obstante, y de forma invariable, cuando estos miembros que son médicos siguieron nuestras recomendaciones, e hicieron un programa natural de limpieza de hongos, todos ellos experimentaron resultados impresionantes que les convirtieron en fieles creyentes de la importancia de reducir el hongo candida en el cuerpo para poder subir el metabolismo y adelgazar. Hoy en día son muchos los médicos que, por su propia experiencia, pudieron comprobar que reducir la infección del hongo candida albicans es algo vital si uno desea tener éxito en sus esfuerzos por adelgazar y recuperar el máximo de su metabolismo potencial.

La medicina tradicional utiliza medicamentos como Diflucan®, Nystatin®, Mycostatin®, Nizerol® y Sporanox®, entre otros fungicidas para matar el hongo candida albicans. No obstante, estos medicamentos aunque pueden ayudar en los casos de las personas con cáncer o con SIDA, vienen rotulados con fuertes advertencias debido a los efectos tóxicos y de daños permanentes al hígado que pueden producir. Los tipos de sustancias químicas que contienen estos medicamentos son tóxicas no sólo al hongo candida albicans sino también a muchas de las otras células del cuerpo. Por esta razón, en Natural Slim™ desarrollamos un programa natural de limpieza del hongo candida albicans para tener una forma de reducir el hongo en el cuerpo y lograr que la persona recupere su metabolismo y adelgace. Muchas de las personas que buscan ayuda del sistema Natural Slim™, son personas que ya han "tratado de todo" sin buenos resultados y nosotros por experiencia sabemos que si no logramos reducir la infección de candida albicans no lograrán adelgazar.

Reducir una infección severa de este hongo no es algo fácil. Cuando atacamos al hongo con fungicidas naturales, como el orégano, las reacciones pueden ser bastante desagradables (dolor de cabeza, diarrea, dolores musculares, etc.). Hemos tenido que aprender a subir las dosis de los fungicidas naturales "de poquito en poquito". Por otro lado, para tener éxito no se puede utilizar un aceite de orégano común como el que venden en las tiendas naturistas. El aceite de orégano común, reduce la infección de candida albicans solamente en el intestino y esto no es suficiente, dado que la infección de candida generalmente está regada por todo el cuerpo. Con los años y cientos de experiencias de prueba, logramos localizar un suplemento natural de orégano cuyo agente activo, un aceite que contiene el orégano llamado *carvacol*, se transporta por la sangre y ataca al hongo en todas las partes del cuerpo donde se pueda haber refugiado.

Nunca se puede eliminar el 100% de la colonia del hongo candida albicans en el cuerpo humano ya que este hongo es un habitante natural del cuerpo. La estrategia que se utiliza es la de reducir la colonia a un punto en el que deje de ser un problema para el metabolismo. Si una infección de hongos se logra reducir en tamaño, digamos de 100% a solamente 20%, habremos tenido éxito y la persona verá recompensados sus esfuerzos para adelgazar. También experimentará una mejoría muy marcada en su estado de salud general.

Un descubrimiento principal ha sido que este hongo, que normalmente ocupa sólo una pequeña parte de la flora intestinal y vaginal, puede llegar a crecer a tal punto que ocupe la mayoría de la flora interna del cuerpo, tornándose en un agresivo parásito que invade todas las partes del cuerpo. Las infecciones del hongo candida albicans, son posiblemente, una de las causas principales y menos conocidas de la epidemia de sobrepeso y obesidad que afecta a las naciones del mundo. Esto no ha pasado por pura casualidad. Existen factores que han permitido que este hongo, que generalmente no nos afecta, se haya reproducido de forma acelerada y se haya convertido en un parásito que se sale del intestino y del área vaginal e invade al resto del cuerpo, causando una infección sistémica que afecta a todos los órganos del cuerpo desde el cerebro hasta el hígado.

Para resolver los problemas que el hongo le crea al metabolismo y a la salud es vital educar a la persona infectada sobre las características de su enemigo interno, candida albicans. Si uno quiere vencer a un enemigo es importante conocer sus características y puntos débiles. Parte de la estrategia es educar a la persona para que no contribuya a crear un ambiente demasiado propicio para el crecimiento de este hongo y que no vuelva en poco tiempo a tener un nuevo "sobrecrecimiento" que reduzca el metabolismo. La educación incluye hacerle entender a la persona cuáles son los factores que propulsan el crecimiento de este hongo dentro del cuerpo. Los factores que contribuyen al "sobrecrecimiento" del hongo candida son:

EXCESO DE CARBOHIDRATOS REFINADOS:
Los carbohidratos refinados (azúcar, dulces, pan, arroz, etc.) producen un exceso de glucosa en la sangre y ese exceso de glucosa alimenta el apetito voraz del hongo candida y le hace crecer de forma desmedida. Es como echarle abono a una hierba mala. Cuando la persona, debido a su dieta alta en carbohidratos refinados o carbohidratos dulces, mantiene unos niveles muy altos de glucosa en su sangre el hongo se alimenta vorazmente de ella, lo cual le hace crecer y reproducirse de forma acelerada. La glucosa es el alimento principal de todas las células de nuestro cuerpo. También es el alimento principal del hongo candida albicans. Una persona que esté acostumbrada a consumir muchos alimentos dulces verá su metabolismo reducirse año tras año hasta convertirse en un "metabolismo lento".

USO DE ANTIBIÓTICOS:

Los antibióticos eliminan del cuerpo a las bacterias causantes de infección, pero también eliminan a las "bacterias buenas" que habitan en el intestino y en el área vaginal y que son los enemigos naturales del hongo candida albicans. Cuando la flora intestinal o vaginal se muere, debido a las dosis de antibióticos, los hongos se quedan sin competencia y sin oposición e invaden al cuerpo de forma desmedida. Cuando una persona se ve obligada a utilizar un régimen de antibióticos, debe asegurarse de también utilizar un suplemento que reemplace su flora intestinal con "bacterias amigas" como *acidophilus, bulgaricus* y *bifidus*. En las tiendas naturistas ofrecen suplementos que contienen estos tipos de bacterias beneficiosas las cuales van reemplazando la pérdida de "bacterias amigas" que causa el medicamento antibiótico y de esta forma no se queda el cuerpo sin flora intestinal y vaginal que le proteja de los hongos.

USO DE HORMONA FEMENINA (ESTRÓGENO):

Las pastillas anticonceptivas, los parches de estrógeno y los medicamentos para la menopausia aceleran el crecimiento de este hongo y causan un "sobrecrecimiento". Muchas damas perdieron su bella figura cuando utilizaron por unos meses las pastillas anticonceptivas o los parches anticonceptivos. El estrógeno, de por si, es una hormona que acumula grasa y engorda, pero tiene también el efecto de ser un "factor propulsor de crecimiento" del hongo candida albicans. O sea, obliga a este hongo a crecer rápidamente.

USO DE CORTISONA:

Este medicamento, cortisona, que se utiliza para reducir la inflamación en el cuerpo, también reduce el sistema inmune y causa que el hongo candida albicans crezca de forma desmedida lo cual reduce el metabolismo. Por ejemplo, las personas que padecen de asma utilizan una bomba con un medicamento derivado de cortisona. Muchas de estas personas además del asma empiezan a tener problemas de sobrepeso u obesidad.

USO HABITUAL DE BEBIDAS ALCOHÓLICAS:

Cuando una persona tiene una infección sistémica del hongo candida debe evitar el uso de las bebidas alcohólicas (vino, cerveza, ron, etc.) ya que este hongo se alimenta del alcohol mucho más fácilmente que del azúcar.

FUNCIÓN DEFICIENTE DEL
SISTEMA DE LA GLÁNDULA TIROIDES:

La glándula tiroides y sus sistemas asociados controlan el metabolismo, la temperatura y también el sistema inmune del cuerpo. Es un hecho, las personas con hipotiroidismo padecen de frecuentes catarros o infecciones porque su sistema inmune está deprimido. Las personas que tienen deficiencias del sistema de la glándula tiroides tienden a tener fuertes infecciones de este hongo candida. Esto pasa porque sus sistemas inmunológicos no las están protegiendo del hongo con la eficiencia normal de un sistema inmune ágil.

Es vital conocer estos factores que hacen crecer al hongo candida albicans dentro del cuerpo. Si una persona intenta reducir su nivel de infección del hongo candida pero no toma en consideración estos factores, que le crean al hongo un ambiente favorable para su crecimiento, no pasará mucho tiempo antes de que su metabolismo se reduzca por un nuevo aumento de la infección de este hongo. La idea es reducir la infección para recuperar el metabolismo y cambiar el "estilo de vida" para no ver al hongo regresar con igual o mayor fuerza. Es cambiar los hábitos para no seguir alimentando y favoreciendo a este organismo parasítico, candida albicans.

Los diabéticos por su condición de diabetes están extremadamente infectados del hongo candida albicans. La diabetes, por definición, es una condición en la que los niveles de glucosa se mantienen anormalmente altos. Podría decirse que el cuerpo de un diabético es como el paraíso de un hongo como candida albicans por sus constantes altos niveles de glucosa.

Este tema, el de las infecciones del hongo candida albicans, ha sido posiblemente el tema más controversial con el que me he topado en la búsqueda de las razones para el llamado "metabolismo lento". Curiosamente, es también el tema que mejores resultados ha producido para esos miles de personas que ya habían perdido su esperanza de poder adelgazar. Todavía, después de muchos años, no puedo dejar de maravillarme de los buenos resultados que produce el reducir la infección del hongo candida albicans en un cuerpo. Después de una limpieza del hongo candida albicans, he visto bajar de peso y recobrar la salud a personas que antes no tenían esperanzas de lograrlo.

Hay una satisfacción incalculable en encontrar la causa y también la solución a un problema de salud y metabolismo como el que causa la infección con este hongo, candida albicans.

LA DIABETES Y LA HIPOGLUCEMIA

Tanto la diabetes como la hipoglucemia[†] tienen una relación directa con el metabolismo deficiente.

Hay dos tipos de diabetes. La diabetes tipo II es la más común ya que aproximadamente el 90% de los diabéticos son diabéticos tipo II. Es una condición de diabetes que empieza cuando ya la persona es adulta. La diabetes tipo I es una diabetes hereditaria, que es mucho menos común, donde la persona nace con un órgano páncreas que simplemente no produce ninguna *insulina*. Por eso el diabético tipo I tiene que inyectarse *insulina* 3 o 4 veces al día por toda su vida.

La condición de diabetes es una condición en la que el cuerpo mantiene unos niveles de glucosa (azúcar de la sangre) demasiado altos y esto de por si afecta la salud y el metabolismo de la persona. Los niveles de glucosa se miden en miligramos por decilitro (mg/dl). Es una medida que usan los laboratorios para saber si una persona padece de diabetes. Los niveles normales son de 75 a 125 mg/dl dependiendo de lo que uno comió y cuándo lo comió. En los diabéticos los niveles se mantienen por encima de 130 mg/dl y en algunos casos pueden llegar a 500 mg/dl y la persona quedar inconsciente por el exceso de glucosa.

La Asociación Americana de Diabetes estimó hace un par de años que hay unos 14 millones de diabéticos en los Estados Unidos o un 6.2% de la población que padece de esta condición. Las estadísticas son claras, el problema crece a paso acelerado y las autoridades médicas y de salud del país realmente no saben qué hacer para parar esta condición.

No existe ninguna parte de la población que esté más enferma que los diabéticos. Los diabéticos son el sector de la población que más ataques al corazón sufre, los que más pierden su visión por la diabetes, los que más pierden sus riñones y tienen que utilizar diálisis (sistema mecánico para limpiar la sangre) y además de eso, por lo menos el 85% de los diabéticos o están sobrepeso o están obesos. Para colmo los hombres diabéticos en muchos casos se quedan impotentes sexualmente. En fin, los diabéticos son las personas menos saludables de nuestra población.

Los científicos constantemente llenan las primeras planas de los periódicos con sus "descubrimientos" de supuestos genes diabéticos y tratan de culpar al factor hereditario. Según sus teorías la culpa siempre parece ser del cuerpo humano que de alguna forma está defectuoso y por eso está diabético. Da la impresión de que la persona dueña del cuerpo es una pobre "víctima" que nada tiene que ver con el asunto de que su cuerpo sea diabético.

Bueno, mi experiencia con los diabéticos en el proceso de ayudarles a adelgazar y recuperar su metabolismo ha sido una muy reveladora. He trabajado con más de 2,000 personas diabéticas y he visto resultados impresionantes no sólo en lograr que bajen de peso sino en ver cómo han podido controlar su condición de diabetes.

Para ayudar a los diabéticos la única información que me fue útil a través de los años fue la información publicada por el Doctor Richard Bernstein en su libro "*Diabetes Solution*". Recomendaría que cualquier persona diabética lea este libro para que de una vez y por todas entienda su condición y pueda controlarla. Me da horror pensar en los consejos que algunos "expertos" en nutrición le han estado dando a los pacientes diabéticos. Son recomendaciones como "has una merienda cada 2-3 horas para que la azúcar de la sangre se estabilice".

Mi experiencia es que la condición de diabetes se reduce a una inhabilidad del cuerpo de procesar los carbohidratos refinados. O sea, el cuerpo de un diabético tiene severos problemas cuando le alimentamos con pan, harina, dulce, chocolates, arroz, papa, fruta, dulce, etc. Si el diabético utiliza carbohidratos dulces como pasas, guineo o mango también tendrá problemas. Si le alimentamos con carbohidratos naturales (vegetales, ensaladas) no hay problemas. Pero, los carbohidratos refinados son "mortales" para los diabéticos.

Estoy acostumbrado a ver que cualquier persona con diabetes que se adapta a una dieta baja en carbohidratos refinados de inmediato empieza a bajar de peso y a controlar su diabetes. O sea, una dieta tipo mediterráneo como decir carnes, quesos y ensaladas al diabético le viene de maravilla. He visto a diabéticos, que antes se inyectaban 60 unidades diarias de *insulina*, bajar sus necesidades de *insulina* a tal punto que ya no se tienen que inyectar y pueden controlar su azúcar en la sangre con sólo un medicamento para control de glucosa. Basta con que reduzcan los carbohidratos refinados y sus niveles de azúcar en la sangre se empiezan a normalizar. Debido a esto sus doctores se ven obligados a reducirles el medicamento. Los he visto llegar con grandes pedazos de piel oscura y muerta en sus pies y he visto cómo esa piel se regenera y se vuelve a poner de un color rosado y saludable cuando controlan los carbohidratos refinados.

Una de mis experiencias más interesantes la tuve con un médico diabético que fue a buscar nuestra ayuda a Natural Slim™. Este médico es una de las personas más organizadas que jamás conocí. Se medía la glucosa de la sangre varias veces al día y llevaba una agenda detallada anotando todo lo que comía y qué efecto ello tenía en su glucosa. Empezó a bajar de peso de forma muy notable y tuvo que reducir a menos de la mitad sus medicamentos para control de la glucosa. Cuando rompía la dieta y se daba alguna "hartera" de pan o carbohidratos refinados también lo anotaba y observaba cómo su glucosa subía nuevamente a los niveles de peligro. En fin, mi amigo el médico descubrió lo mismo que yo, que la diabetes era totalmente controlable si lograba controlar su consumo de carbohidratos refinados.

En mi experiencia nadie experimenta una mejoría más notable que los diabéticos cuando controlan su consumo de carbohidratos refinados. Sea un diabético tipo II o un diabético tipo I la clave es reducir a un mínimo los carbohidratos refinados. Precisamente, la recomendación del doctor Richard Bernstein en su libro es controlar el consumo de carbohidratos refinados. Cuando se reducen los carbohidratos refinados en todos los casos la diabetes se controla, la presión arterial baja, se reducen los triglicéridos[†] y se reduce también el colesterol[†] malo (LDL). Nunca he logrado entender por qué no le explican esto tan simple a los diabéticos. El control de la diabetes está totalmente basado en controlar el consumo de carbohidratos refinados (pan, harina, dulce, chocolates, arroz, papa, etc.). A veces he llegado a pensar que hay empresas o "intereses creados" que no desean que la diabetes se controle para poder seguir ganando mucho dinero de la venta de los medicamentos y tratamientos que se hacen necesarios para los diabéticos. La solución es tan simple como controlar los carbohidratos refinados. Sin embargo, engañan a los diabéticos con una extensa variedad de productos "sugar-free" (libres de azúcar) que en realidad son altos en carbohidratos refinados (harina de trigo, miel, etc.).

He asistido a las ferias de la Asociación de Diabetes y observado cómo recomiendan a los diabéticos unos productos dulces, "sin azúcar", sin explicarles que TODOS los carbohidratos se convierten en azúcar (glucosa) al entrar al sistema digestivo. Bajo esta falsa idea de que los productos "sugar-free" (sin azúcar) no les afectan, les venden galletitas, bizcochos y dulces que a los pocos minutos de comerlos les han descontrolado los niveles de glucosa en el cuerpo. De verdad que la ignorancia es algo peligroso. La ignorancia mata.

La diabetes se distingue por tener niveles demasiado altos de glucosa y la hipoglucemia como niveles demasiado bajos de glucosa. Parecen condiciones contrarias pero no lo son. Están relacionadas y hay que saber que la hipoglucemia se convertirá en una condición de diabetes si la persona no cambia su nutrición y su estilo de vida.

En realidad la hipoglucemia es una *intolerancia* a los carbohidratos refinados. La hipoglucemia es el inicio de un problema donde el cuerpo empieza a dar la voz de alarma de que no desea los carbohidratos refinados. La diabetes ya es la etapa final del problema porque ya se convierte en una *inhabilidad* para utilizar los carbohidratos refinados. Podríamos decir que la hipoglucemia es como una "protesta" o "huelga laboral" y la diabetes ya representa a una empresa fracasada que cerró sus operaciones porque no pudo seguir operando.

La persona que padece de hipoglucemia está en la ventajosa condición de poder evitar una diabetes. Pero para hacerlo, tiene que dejar de forzar a su cuerpo a digerir los carbohidratos refinados que no desea.

La secuencia de una hipoglucemia (bajón de azúcar) es así: la persona se da una "hartera" de carbohidratos refinados o de carbohidratos dulces que su cuerpo no tolera bien. Los carbohidratos refinados se convierten en un exceso de glucosa y su cuerpo reacciona produciendo demasiada de la hormona *insulina* con el propósito de reducir la glucosa que se aumentó en la sangre. La producción de *insulina* de una persona hipoglucémica es algo exagerada y se produce demasiada *insulina* para contrarrestar el exceso de glucosa lo cual causa el "bajón de azúcar" que llamamos hipoglucemia. Para empezar, si la persona no hubiera abusado en exceso de los carbohidratos refinados nunca se hubiera producido el exceso de *insulina* que causa el "bajón de azúcar". En fin, la persona que desea dejar de ser hipoglucémico solamente tiene que dejar de utilizar en exceso los carbohidratos refinados y verá su hipoglucemia desaparecer para siempre.

Hay algo con las explicaciones demasiado sencillas. La gente tiende a pensar que la solución a un problema debe siempre ser algún factor muy complejo. Si la solución le parece demasiado simple muchas veces la persona no la puede aceptar. Sin embargo, la solución a la hipoglucemia es simple, es el control de carbohidratos refinados. Y más vale que este asunto de la hipoglucemia se controle porque de no hacerlo se terminará con una diabetes.

Aun más, cuando el metabolismo se pone lento el cuerpo se llena de grasa. La grasa produce dos compuestos ("*resistin*" y "*tumor necrosis factor alpha*") que interfieren con la *insulina* y esto hace que la *insulina* se vuelva inefectiva. El exceso de grasa en el cuerpo de un diabético logra que su *insulina* no pueda extraer la glucosa de la sangre con efectividad y empieza lo que llaman una "resistencia a la *insulina*", donde el cuerpo del diabético se resiste a los efectos de su propia *insulina* y la glucosa continúa aumentando su nivel en la sangre. En fin, la diabetes se agrava según aumenta la grasa en el cuerpo.

La buena noticia es que la diabetes se puede controlar y la hipoglucemia se puede eliminar totalmente si se controlan los carbohidratos refinados.

LAS HORMONAS EN LA MUJER

El cuerpo de una mujer siempre es más complejo que el de un hombre debido a su sistema hormonal. Es un hecho conocido el que los hombres bajan de peso con facilidad, pero la mujer pasa muchas más dificultades para lograr bajar de peso. Esto se debe a varias razones como las siguientes:

- El cuerpo del hombre tiene más musculatura y por lo tanto consume más energía y "quema" la grasa con más facilidad
- El cuerpo del hombre produce la hormona masculina *testosterona* que es una hormona constructora de músculos y quemadora de grasa.
- El cuerpo de la mujer produce la hormona *estrógeno* que es una hormona que acumula grasa en el cuerpo.
- La mujer tiende a tener niveles de estrés emocional más altos que el hombre y por lo tanto produce niveles más altos de la hormona de estrés *cortisol*[†] que es una hormona que acumula grasa en el abdomen y en la cadera.

Por estas razones, las mujeres siempre bajan de peso más lentamente que los hombres. Una de las razones, el exceso de la hormona *estrógeno,* tiene que ver con una condición que padecen muchas de las mujeres sobre todo cuando están sobrepeso. La condición se llama "predominación de estrógeno".

Esta hormona, *estrógeno*, en realidad es un grupo de varias substancias que son vitales en el cuerpo de una mujer. Sin *estrógeno* no existirían los embarazos, ni las pieles suaves de las mujeres, ni la menstruación, ni los senos en una mujer.

El *estrógeno* es una hormona que el cuerpo de una mujer balancea con otra hormona que se produce durante la ovulación llamada *progesterona*. La *progesterona* es la hormona que como bien refleja su nombre permite la "gestación" o el quedar embarazada. El cuerpo de una mujer depende de que exista un cierto balance hormonal entre estas dos hormonas, *estrógeno* y *progesterona*.

Prácticamente todo el mundo sabe que el estrógeno se produce en los ovarios de la mujer. Pero pocas personas saben que la grasa del cuerpo también produce estrógeno con la ayuda de una enzima que se llama *aromatase*. La grasa produce estrógeno y es la razón por la cual los hombres bien obesos desarrollan senos y se feminizan hasta en su tono de voz.

El Doctor John Lee en su libro titulado *"What Your Doctor May Not Tell You About Menopause"*, explica el problema de la "predominación de estrógeno" en la mujer. Es una condición donde el cuerpo de una mujer que está gordita sigue produciendo *estrógeno* desde su grasa aunque esa mujer ya no tenga unos ovarios que estén funcionando. Cuando el *estrógeno* no está siendo balanceado en el cuerpo por la hormona *progesterona,* la cual sólo se produce durante la ovulación, se crea una "predominación de estrógeno" que no permite que la mujer baje de peso. Lo que quiere decir una "predominación" es que el *estrógeno* domina el ambiente interno del cuerpo al no tener a la *progesterona* como hormona contraria. Ello crea una situación donde a la mujer se le hace dificilísimo bajar de peso porque como el *estrógeno* acumula grasa y engorda el cuerpo se niega a ceder la grasa.

El problema es que la hormona *estrógeno* acumula grasa y engorda. Esto es un hecho bien conocido ya que hace unos años los criadores de cerdos y de gallinas trataron de aumentar el peso de sus animales suplementándoles la dieta con *estrógeno* para engordarlos. Esto salió publicado en las primeras planas del país como un escándalo y a raíz de ello mucha gente decidió no seguir consumiendo la carne de pollo. Que yo sepa, esta práctica ya hace años que no se continúa, pero mucha gente se quedó mal impresionada con la manipulación que se trató de llevar a cabo en esa ocasión utilizando *estrógeno* para engordar a los animales. Todavía hoy se niegan a consumir la carne de pollo por temor a que contenga la hormona *estrógeno*.

Cuando la mujer padece de una "predominación de estrógeno" puede sentir manifestaciones como las siguientes:

- Acumulación de grasa en las caderas y en el abdomen
- Candidiasis recurrente (infecciones de hongos resistentes)
- Condiciones auto-inmunes como: Lupus, Esclerosis múltiple, Fibromialgia
- Dificultad o lentitud para adelgazar
- Dificultad para concebir
- Edema (acumulación de agua)
- Falta de energía o cansancio continuo
- Historial de cáncer del seno o uterino
- Historial de fibromas, adenomas o pólipos vaginales
- Historial de tener abortos naturales
- Menstruación dolorosa o calambres
- Osteoporosis (pérdida de hueso)
- Pelo facial
- Pérdida de libido (interés o apetito sexual)
- Sangre menstrual en exceso
- Sensibilidad en los senos (*"breast tenderness"*)
- Sueño demasiado ligero o dificultad para dormir

La "predominación de estrógeno" mantiene el metabolismo bajo y a la mujer que padece de esta condición se le hace muy difícil bajar de peso.

El estrógeno es un agente propulsor de las células cancerosas. Por esa razón, tener una "predominación de estrógeno" coloca a una mujer en un alto riesgo para cáncer de los senos o cáncer uterino.

Cuando la mujer empieza a tener mucho vello facial generalmente es debido a que la "predominación de estrógeno" está obligando al cuerpo a producir hormonas masculinas (andrógenos) para contrarrestar el *estrógeno*.

La solución para las mujeres es usar una crema de *progesterona* natural. Esta hormona natural se aplica a través de la piel y contrarresta los efectos dañinos de la "predominación de estrógeno" logrando balancear el sistema hormonal. La *progesterona* natural tiene un efecto calmante y antidepresivo. Inclusive, ayuda a la persona a dormir más profundo y con un sueño más reparador.

La crema de *progesterona* natural se utiliza por sólo 21 días del mes para no permitir que el cuerpo se acostumbre a ella y deje de reaccionar a sus efectos. En las mujeres que todavía tienen menstruación se empieza a utilizar en el primer día de sangrado y se cuentan desde ahí los 21 días. Al terminar los 21 días de uso se le da un descanso y se vuelve a empezar otro ciclo de 21 días al primer día de sangrado de la menstruación.

Si la mujer ya no tiene menstruación se utiliza por 21 días pero empezando con el día número 1 de cada mes calendario hasta el día 21 de cada mes. La idea es crear un ciclo como si fuera el mismo cuerpo el que la estuviera creando a través de la ovulación.

Esta crema se consigue en los centros naturistas e inclusive se puede adquirir por Internet. Para las mujeres que han experimentado mucha dificultad en bajar de peso y muy en especial para aquellas que han acumulado mucha grasa en sus caderas y en el abdomen (causado por el estrógeno) la crema de *progesterona* natural es una excelente ayuda.

Además de todo esto, la *progesterona* natural tiene un efecto como agente anti-envejeciente en el cuerpo. Es notable lo bonita que se pone la piel de una mujer que utiliza la *progesterona* natural. El único comentario adicional es el aumento en líbido (apetito sexual) que produce en la mujer cuando la usa. Fíjese que la *progesterona* natural siempre se ha usado para ayudar a las mujeres que sufren de frigidez sexual. Es una hormona que promueve la "gestación" y por lo tanto levanta el interés en el sexo. Muchos maridos saben de esto y se aseguran de que su pareja esté usando una crema de *progesterona* natural de forma regular cada mes.

La *progesterona* natural tiene también el efecto de retener o ayudar a recuperar el hueso que se haya perdido con una condición de osteoporosis[†]. Esto es algo que se puede comprobar a los 3 meses de haber empezado a utilizar la crema haciéndose un examen de densitometría ósea y comparándolo con el anterior al uso de la *progesterona* natural.

Si usted lee inglés es recomendable que compre y lea el libro del Doctor John Lee sobre este tema. No pretenda que su propio médico sepa de este tema ya que nuestros médicos dependen de la información científica que le proveen los propagandistas médicos de las compañías farmacéuticas. Para las compañías farmacéuticas, la *progesterona* natural no es un buen negocio porque al ser natural no se puede proteger con una patente y no se puede ganar mucho dinero con ella. Su médico, si no sabe del tema le dirá que no utilice ninguna hormona, ni siquiera natural, y esto es entendible ya que ellos han sido muy atacados con frívolas y en muchos casos injustas demandas de impericia médica (*"malpractice"*). Mi experiencia ha sido que si el médico no conoce el tema, le recomendará que no haga nada con ello para poder proteger su propia responsabilidad en el asunto de la consulta que usted le hace. Es una actitud entendible dado que algunos abogados se enriquecen con las demandas a los médicos que aunque no sean por razones verdaderas o ciertas siempre les producen mucho dinero.

Si quiere saber sobre esto infórmese y edúquese sobre el tema usted misma para que pueda utilizar su propio juicio al respecto.

Le puedo decir que si su sobrepeso u obesidad está concentrada en las partes bajas del cuerpo (caderas y abdomen) y está sintiendo varias de las manifestaciones de la "predominación de estrógeno" usted pudiera "ver un milagro" al empezar a utilizar la crema de *progesterona* natural. Cuando la "predominación de estrógeno" es muy fuerte, el uso de la crema de *progesterona* natural produce un aumento en el metabolismo impresionante al lograr el balance hormonal que el cuerpo necesita para mantenerse en un estado óptimo.

ANTIDEPRESIVOS Y MEDICAMENTOS QUE ENGORDAN

ESTE ES UN DATO VITAL

Los medicamentos antidepresivos, todos, engordan. Generalmente el fabricante cubre su responsabilidad y lo dice en la hoja de "advertencias" que acompaña a estos medicamentos. Mi experiencia ha sido que pocas cosas reducen tanto el metabolismo como lo hacen los medicamentos antidepresivos (*Zolof®*, *Paxil®*, *Prozac®* y otros más). ¡Todos engordan!

He visto a cientos de personas, sobre todo mujeres, que al empezar a utilizar un antidepresivo empiezan a aumentar de peso de forma acelerada. Inclusive, los esfuerzos que se hacen para ayudarles a aumentar su metabolismo producen muy pocos resultados. Sé que es así porque en los casos en que la persona logró dejar de utilizar el medicamento antidepresivo automáticamente empezó a bajar de peso.

Con los años aprendí a utilizar los suplementos naturales que tienen un efecto antidepresivo como el aminoácido L-Tyrosine, la vitamina B-1 (tiamina). También una hierba natural rusa llamada *rhodiola rosea,* que algunos médicos psiquiatras americanos han empezado a utilizar en sus prácticas privadas para sus pacientes con depresión.

Cuando nos interesa combatir el "metabolismo lento" tenemos que saber distinguir cuáles son los medicamentos que nos reducen el metabolismo. Los antidepresivos definitivamente engordan. Puede que su médico psiquiatra insista que estos "son cuentos" pero usted observe su cintura y verá que lo que le digo es cierto. ¡La ropa no miente!

129

Otro grupo de medicamentos que reduce el metabolismo y engorda lo son los medicamentos diuréticos que se utilizan para reducir la alta presión arterial. Resulta que todo lo que aumenta el agua en el cuerpo tiende a subir el metabolismo y todo lo que reduce los niveles de agua del cuerpo reduce el metabolismo. Los diuréticos trabajan a base de reducir los niveles de agua del cuerpo para así reducir la presión. He observado en múltiples ocasiones como una persona empieza a tener un metabolismo mucho más lento después de empezar a utilizar un medicamento diurético.

La mejor manera de bajar la presión arterial es bajar de peso. Hay una relación directa entre el sobrepeso y la alta presión. Bajar de peso siempre logra que la presión arterial baje a normal. La grasa del cuerpo produce una sustancia llamada *"angiotensinogen"* la cual está asociada a la alta presión arterial. Mientras más grasa haya en el cuerpo mayor será la tendencia a la alta presión. Al usted reducir la grasa del cuerpo la presión arterial baja y se normaliza, a menos que usted sea uno de esos casos más raros de alta presión arterial por causas emocionales. Bajar de peso, reducir la grasa, es la verdadera solución.

Si usted utiliza un medicamento diurético actualmente para reducir la presión no cometa el error de dejarlo hasta que haya bajado de peso y la presión se haya normalizado. Estos medicamentos no se pueden reducir ni eliminar de forma drástica sin la ayuda de su doctor.

Los otros medicamentos que engordan son los que se utilizan para las inflamaciones del cuerpo. Por ejemplo bombas de inhalar para el asma e inyecciones de cortisona para inflamaciones en la espalda. Estos son medicamentos relacionados químicamente a la cortisona. La cortisona es una hormona que es idéntica al *cortisol* que produce nuestro cuerpo en las glándulas adrenales. Se le llama "cortisona"

130

cuando es producida por la industria farmacéutica y *"cortisol"* cuando la produce nuestro cuerpo, pero son básicamente la misma hormona con los mismos efectos.

En fin, lo que hay que saber es que hay medicamentos que reducen el metabolismo. Naturalmente, los medicamentos pueden ser necesarios dependiendo de la condición. Pero también es verdad que cuando una persona mejora su metabolismo y baja de peso la gran mayoría de sus condiciones de salud o se mejoran o se desaparecen. He visto cientos de casos de personas que bajaron de peso y lograron que su médico les descontinuara los medicamentos que utilizaban para su condición. El cuerpo humano tiene una habilidad aparentemente inagotable para recuperarse de cualquier condición siempre y cuando le demos la ayuda que necesita para lograrlo.

VIDA SEDENTARIA

Nuestro estilo de vida actual incluye una gran cantidad de adelantos tecnológicos que nos evitan esfuerzos físicos. Hoy en día vivimos rodeados de celulares, microondas, televisores, computadoras, aspiradoras y todo tipo de equipos que requieren muy poca actividad física nuestra.

Cada día la tendencia es a mover menos el cuerpo y más la mente y los sentidos. Somos muchas veces entusiastas espectadores de los deportes pero no practicamos los deportes. El "corre y corre" diario parece dejar muy poco tiempo para ejercitarse, caminar, nadar o de alguna otra forma mover el cuerpo. En general, usamos el carro hasta para ir a la esquina a buscar alguna necesidad inmediata cuando pudiéramos caminar un poco. Por otro lado, muchas veces tememos por nuestra seguridad y "caminar a la esquina" no necesariamente sería una actividad segura con el índice de criminalidad que aqueja a nuestra sociedad.

Hasta los niños de hoy en día dedican una buena parte de su energía y tiempo libre a los juegos electrónicos cuando en los tiempos anteriores jugaban y sudaban con entusiasmo. Ver televisión se ha convertido en una actividad principal tanto para los niños como para los adultos. Practicamos una vida con poca o ninguna actividad física, una vida sedentaria.

Está comprobado que el ejercicio físico sube el metabolismo y la vida sedentaria lo baja. El cuerpo humano es un organismo vivo que aprende y se adapta a las condiciones existentes. Cuando dejamos de utilizar los músculos se ponen flácidos. Cuando los usamos se crecen y se endurecen. El cuerpo se adapta a nuestro estilo de vida.

Ahora, aunque todo lo anterior es verdad no voy a pedirle que se ponga a hacer ejercicio si siente que su metabolismo está muy lento. No es hora de echarle un regaño injustificado por su poco deseo de ejercitar el cuerpo.

Los años que llevo ayudando a las personas con "metabolismo lento" me han enseñado a observar lo que funciona y lo que no funciona. Si usted tiene un metabolismo lento, según lo evidencia su dificultad para adelgazar, este no es el momento para ponerse a hacer ejercicio ni para comprarse una membrecía en un gimnasio. El ejercicio es una gran ayuda y es vital para poder recuperar el máximo de su metabolismo; pero cada cosa en la vida tiene su momento adecuado y el ejercicio no es una excepción a esta regla.

La lógica dicta que para poder hacer ejercicio una persona necesita gastar energía. Pero ¡las personas con el metabolismo lento tienen muy poca energía! Precisamente, lo que quiere decir tener un "metabolismo lento" es tener poca energía porque el metabolismo es lo que produce la energía del cuerpo. Las personas que padecen de un metabolismo lento siempre están cansadas y se sienten débiles. Es ilógico pedirle a una persona débil y cansada que utilice la poca energía que tiene para irse a un gimnasio a hacer ejercicio. Es como irse a gastar dinero con una chequera sin fondos.

Cuando una persona de metabolismo lento que está sobrepeso u obesa se envuelve en un régimen de ejercicio físico se expone a fracasar en su intento porque está llevando al cuerpo más allá del límite de sus capacidades. Los gimnasios tienen más de un 70 % de sus nuevos miembros que a las pocas semanas de haber empezado y de haber pagado su membrecía anual se desaparecen y no regresan más. Son personas que están débiles, cansadas y que realmente no tienen la energía necesaria para sobrevivir los ejercicios por mucho tiempo sin que se desplomen de agotamiento. Son personas que tienen un metabolismo lento.

La solución a este problema es aplicar la SECUENCIA CORRECTA. En la vida las cosas tiene secuencia, tienen un orden. La secuencia correcta de acciones es: mejorar la nutrición y el metabolismo para obtener más energía y luego utilizar esta nueva energía en una rutina de ejercicios que aumente aun más el metabolismo. En otras palabras, es depositar suficiente dinero en la chequera para luego irse a gastar ese dinero usando los cheques. Expedir cheques sin tener los fondos disponibles en el banco crea el delito de expedir "cheques sin fondos". De la misma forma, hacer ejercicios sin tener la energía para ello, nos obliga a fracasar en el intento por falta de energía para continuar.

A los pocos días de una persona implementar un régimen alimentario que incluya más proteínas (carne, queso, huevo) y menos carbohidratos refinados (pan, harina, arroz, papa, dulces) sentirá un aumento de energía considerable. Al también aumentar su consumo de agua y utilizar un suplemento de vitaminas y minerales de alta potencia sentirá energía excedente que puede utilizar para empezar a hacer ejercicios livianos que mejoren aun más su metabolismo. Si la persona empieza a desayunar bien y además le añade a esto un suplemento de aceite de coco orgánico, no sólo tendrá más energía para invertir en los ejercicios, sentirá también el deseo de mover su cuerpo. La energía adicional que produce una alimentación correcta hace a la persona sentirse "liviana" y con deseos de mover el cuerpo.

Muchas personas fracasan en sus intentos de hacer ejercicios simplemente porque se les olvida que para gastar energía hay que tener energía disponible.

La otra causa más común de fracaso en un nuevo régimen de ejercicio es la situación de FUERA DE GRADIENTE. Un "gradiente" es un nivel, grado o potencia de algo. Por ejemplo, los escalones en una escalera son "gradientes" en la escalera. Las distintas temperaturas de una estufa son "gradientes" de temperatura. En la vida los gradientes son importantes. Uno primero gatea, después camina y finalmente corre. Son gradientes de acción de distinta intensidad y son necesarios.

Cuando una persona que está sobrepeso u obesa decide hacer ejercicio está tomando una decisión que es correcta. Pero va a ser tan correcta y exitosa como sea su conocimiento y aplicación de estos factores. Lo primero es obtener más energía de su metabolismo a través de la alimentación y algunos suplementos naturales que le ayuden a levantar los niveles de energía. Lo segundo es escoger un GRADIENTE ADECUADO de nivel de ejercicio. Si la persona pretende irse a correr un maratón después de haber pasado los últimos 20 años de su vida trabajando frente a un computador en la oficina y sin tener mucha energía es seguro que va a añadir otro fracaso a su lista de fracasos anteriores.

La clave es empezar a hacer ejercicios <u>después de obtener más energía del metabolismo</u> y <u>empezar a hacer ejercicios suaves en un gradiente adecuado</u> como caminar, nadar u otro que no sea estresante para un cuerpo que está acostumbrado a una vida sedentaria. Por ejemplo, si el ejercicio que se hace inicialmente produce mucho dolor muscular el gradiente es demasiado fuerte para el cuerpo. Si la persona decide caminar y camina tan rápido que le falta la respiración está caminando demasiado rápido para su capacidad respiratoria actual. Un ejercicio en el gradiente correcto no produce ni dolor muscular severo ni tampoco le faltará la respiración a la persona. Más gente fracasa por utilizar un gradiente demasiado fuerte para su cuerpo fuera de forma que por ninguna otra razón. La "desesperación" o la "prisa" con la que empecemos un nuevo régimen de ejercicio es siempre el germen del eventual fracaso.

La forma en la que el ejercicio da resultados es subiendo el gradiente de ejercicios de poquito en poquito. Digamos, empezamos con 15 minutos diarios por 4 días a la semana, subimos luego a 20 minutos de ejercicio a la próxima semana y seguimos subiendo así, de poquito en poquito, para darle una oportunidad al cuerpo a que se acostumbre a las rutinas. En muy poco tiempo, habremos logrado que la condición física se haya mejorado grandemente pero utilizando los GRADIENTES.

Cualquier ejercicio es bueno a la hora de subir el metabolismo. Mi favorito, sin necesidad de comprar ningún equipo especializado, es el caminar. Recomiendo a una persona el caminar inicialmente sólo hasta que se produzca un leve sudor en su piel. Este es el punto donde ya el metabolismo ha subido lo suficiente como para generar el calor que provoca el sudor en la piel. El metabolismo genera calor y el calor provoca el sudor. El punto donde el cuerpo empieza a sudar es el punto donde ya se logró subir el metabolismo con el ejercicio.

No obstante, debo mencionar que existe un ejercicio que en mi experiencia trabaja mejor que los otros a la hora de lograr subir el metabolismo. Es un ejercicio donde se rebota en un pequeño trampolín al ritmo de la música.

Nunca he visto un ejercicio que ayude a la gente a adelgazar más rápido que el pequeño trampolín para rebotar. Estuve muchos años investigando los tipos de ejercicios que podían ayudar a las personas sobrepeso u obesas tomando en consideración que estas personas no poseen grandes cantidades de energía o fuerza. Observé que algunos ejercicios definitivamente no son apropiados para las personas sobrepeso porque son ejercicios que pueden causar impacto a las rodillas como el trotar o a la espalda como el alzar pesas. Otros ejercicios tienen la desventaja principal de que son aburridos como caminar en una máquina trotadora o alzar pesas. Algunos requieren de espacios o equipo muy especializado como correr bicicleta o nadar en una piscina.

El pequeño trampolín rebotador es un ejercicio de bajo impacto que cualquier persona sobrepeso u obesa puede hacer. No se requiere mucha fuerza porque el mismo trampolín ofrece la resistencia del rebote. Según estudios que he visto, este trampolín rebotador tiene el beneficio principal que ejercita TODO el cuerpo ya que la acción de rebotar y de ir en contra y luego a favor de la gravedad del planeta estimula y ejercita a todas las células del cuerpo sin excepción.

Con este tipo de ejercicio TODAS las células se ejercitan. Las células del cuerpo, con su acción en conjunto, son las que generan el metabolismo o la energía del cuerpo. Cuando todas ellas se ejercitan se estimulan a levantar el metabolismo.

Mi experiencia es que al hacer este ejercicio por solo 15 minutos mi cuerpo seguía sudando por más de una (1) hora después de haber terminado, lo cual me indica que había logrado subir mi metabolismo de forma muy marcada. A las tres semanas de hacer el ejercicio del rebotador por sólo 15 minutos, unas 3 veces por semana, tuve que ir al sastre a ajustarme toda la ropa y se me hizo obvio que este ejercicio realmente reduce mucho la grasa del cuerpo.

Existe una razón científica por la cual el ejercicio en el rebotador parece ser mucho más efectivo que los otros ejercicios en ayudar a las personas a subir el metabolismo y adelgazar. Tiene que ver con el diseño del cuerpo. El cuerpo humano elimina los tóxicos y las grasas a través de lo que se llama el sistema linfático. El sistema linfático está compuesto de minúsculos conductos. Estos conductos son tan pequeños que la sangre no cabe por ellos. En el sistema linfático fluye un líquido blancuzco llamado la linfa. Es en este líquido que el cuerpo dispone y le da salida a los tóxicos de las células y a las grasas. Podríamos decir que el sistema linfático es como el alcantarillado del cuerpo humano. Es el sistema que el cuerpo utiliza para eliminar lo que ya no necesita de lo que sobró de las reacciones dentro de las células. El sistema linfático no tiene una bomba que mueva este líquido llamado linfa como en el caso del sistema circulatorio de la sangre donde el corazón sirve de bomba de presión. La linfa se mueve por gravedad y por los mismos movimientos del cuerpo. La acción de rebotar en el pequeño trampolín va en contra y a favor de la gravedad y esto mueve la linfa y extrae del cuerpo tanto los tóxicos excedentes de las células como las grasas. Es por esto, que este tipo de ejercicio en particular ayuda tanto a subir el metabolismo y a adelgazar sacando la grasa del cuerpo.

Lo que más me gustó es que es un ejercicio entretenido. Esto sí que me gustó, no es aburrido. Al rebotar al son de la música sin sentir impacto en mis rodillas y llevando el ritmo, se me pasan los 15 minutos del ejercicio mucho más rápido que en cualquier otro ejercicio que hubiera practicado anteriormente.

Hay varios libros escritos al respecto de este ejercicio del rebotador e inclusive hay estudios hechos por la NASA (Agencia Aeroespacial de los Estados Unidos) que demuestran que su efectividad es superior a otros ejercicios como trotar o caminar en una máquina trotadora. La NASA utiliza los rebotadores para ejercitar a sus astronautas al regreso de las misiones espaciales porque ayudan a la recuperación muscular y del balance después de un periodo prolongado de falta de gravedad en el espacio.

El ejercicio físico, de cualquier tipo, tiene otro beneficio marginal que le ayudará. El ejercicio físico reduce grandemente los efectos del estrés diario. Cuando pasamos estrés el cuerpo produce mucho *cortisol*[†] y esta hormona no sólo nos engorda en el abdomen y en la cadera sino que también nos evita dormir bien. El *cortisol* es una hormona que causa insomnio y mal dormir. La combinación de mucho estrés, mucha producción de *cortisol*, y falta de un buen sueño conciliador es uno de los obstáculos principales para bajar de peso. Las personas que no duermen bien tampoco logran bajar de peso porque tienen niveles de *cortisol* demasiado elevados. Cuando hacemos ejercicio, el cuerpo elimina una buena cantidad del *cortisol* acumulado por el estrés durante el día través del hígado y es por eso que después de hacer ejercicio siempre dormimos mucho mejor y amanecemos refrescados.

De todas maneras, si usted desea mejorar su metabolismo debe hacer ejercicio. Ahora, asegúrese de primero mejorar su nivel de producción de energía mejorando su nutrición antes de irse a gastar la energía que no tiene. Después de que ya tenga más energía para invertir en sus ejercicios asegúrese de empezar en el gradiente adecuado de ejercicio para que tenga éxito en el intento y se sienta bien consigo mismo.

HORA DE RECUPERAR EL METABOLISMO

LA MENTE LO CONTROLA TODO

ESTE ES UN DATO VITAL

Todo éxito o fracaso surge siempre de una acción y, todas las acciones siempre surgen de una decisión. En cualquier proyecto que emprendamos lo más importante es tener la DECISIÓN.

Muchas de las personas que han experimentado un metabolismo lento han tratado en muchísimas ocasiones de adelgazar sólo para encontrarse fracasados al poco tiempo de empezar. Lo que mantiene a una persona entusiasmada en lograr su meta son los RESULTADOS. Si una persona intenta lograr adelgazar y no lo logra habrá acumulado una nueva experiencia de fracaso. Muchas experiencias corridas de fracasos llevan a una persona a un estado emocional de apatía (pensamiento de "ningún esfuerzo vale la pena"). Del estado de apatía nacen las frases de justificación de algunas personas que ya están cansadas de fracasar. Son frases como "soy una gordita feliz" o "yo soy así y siempre seré así".

El primer factor a considerar es el factor del problema mismo del "metabolismo lento". La lógica dicta que alguien que no sabe de matemáticas jamás podrá resolver una ecuación de álgebra. De la misma forma, alguien que no sabe nada o muy poco sobre las causas y las posibles soluciones a un problema de metabolismo lento habrá de fracasar en cualquier intento que haga. ¡Es que nunca se puede resolver un problema que no se entiende! Por lo tanto, <u>el primer paso lógico para resolver cualquier problema es entenderlo</u>. Si no se entienden los factores que crean un "metabolismo lento" tampoco se podrán resolver porque estaríamos "trabajando a ciegas" con el problema. La solución es aumentar nuestro

CONOCIMIENTO acerca del problema para poderlo resolver.

Entonces, si usted es de los que ha tratado las "mil y una dietas", pastillas milagrosas, membrecías en gimnasios, pasar hambre, contar calorías, acupuntura, mesoterapia o cualquier otra modalidad debe darse cuenta de que no tenía el CONOCIMIENTO para lograrlo y por eso fracasó. No es que usted tenga "poca fuerza de voluntad" o que le falte disciplina. Cualquier persona que haga muchísimo esfuerzo y sacrificio para bajar de peso y no vea los resultados se dará por vencida después de algún tiempo de intentarlo. Si no lo hiciera no pertenecería a la raza humana. Todo esfuerzo merece una recompensa. Si se hace el esfuerzo y la recompensa nunca llega es obvio que no podemos continuar.

La diferencia entre el éxito y el fracaso siempre lo es el CONOCIMIENTO de los obstáculos y de las soluciones. Hemos estado discutiendo los distintos factores que causan un metabolismo lento y usted ya los conoce. En este punto debe haber localizado cuáles son los que le aplican directamente y tendrá algún plan para manejarlos. Ahora usted también tiene el CONOCIMIENTO y por lo tanto lo puede lograr.

Es la mente la que controla al cuerpo. Nunca es el cuerpo el que controla a la mente. Su habilidad de utilizar su mente para tomar las decisiones correctas es su habilidad más valiosa.

Hay un ejercicio mental que le ayudará a tomar la decisión correcta y enfocarse en su nueva meta de subir el metabolismo, lograr adelgazar y luego mantenerse en un nivel de peso adecuado por el resto de sus días.

El ejercicio lo puede hacer utilizando un papel para escribir primero una lista de TODOS los intentos que recuerde haber hecho durante su vida para adelgazar o poner su cuerpo en forma. Esta lista, en algunos casos, puede ser bastante larga y se vería algo así:

INTENTOS DE ADELGAZAR O PONERME EN FORMA

Dieta Atkins®
Dieta de calorías
Dieta vegetariana
Nutricionista
La dieta de la azafata
La dieta de la sopa
Herbalife®
Jenny Craig®
Doctor's Weight Loss®
Médico bariatra
Weight Watchers®
Fataché®

Acupuntura
Doctor naturista
La dieta de la luna
Máquina de trotar
Hipnosis para adelgazar
Membrecía en gimnasio
Dieta de la toronja
Dieta de alimentos vivos
Gotitas homeopáticas
Adipex®
Caminar en el parque
Batidas Slim Fast®

Hacer la lista tratando de recordar TODO lo que ha intentado para adelgazar o ponerse en forma le ayudará a analizar los esfuerzos hechos. Algunas de las cosas que usted puede haber hecho seguramente le parecerán hoy como verdaderas esperanzas mal fundadas.

Ahora viene la parte más importante y poderosa del ejercicio mental. Localice en su mente y escriba en el papel cual era su PROPÓSITO BÁSICO detrás de todos estos esfuerzos. O sea, qué era lo que usted quería lograr. Qué era lo que le movió a gastarse sabe Dios cuánto dinero y esfuerzo en todos estos intentos fallidos.

El PROPÓSITO BÁSICO es algo muy personal y único suyo. Todos somos distintos y todos tenemos PROPÓSITOS

BÁSICOS distintos. Por ejemplo, el PROPÓSITO BÁSICO para una persona puede ser "rebajar de peso para verme bien", para otro "sentirme bien de salud", para otro "poder usar la ropa que tengo colgada en el ropero" y para otros cosas como "lucir tan bella como cuando me casé". En fin, sea lo que sea que haya sido su PROPÓSITO BÁSICO lo importante es que usted lo localice y lo escriba en la hoja de papel. El único propósito que interesa es el suyo. Su PROPÓSITO BÁSICO.

Una vez que haya localizado su verdadero PROPÓSITO BÁSICO, lo haya escrito y esté convencido(a) de que ese realmente era el propósito que le movía, ahora viene la pregunta IMPORTANTE que usted mismo(a) se debe hacer:

Ese propósito básico mío, ¿todavía es algo que yo quisiera tener?

Si la contestación a esta pregunta es SÍ habremos rehabilitado su PROPÓSITO BÁSICO y ahora sí que usted lo puede lograr. La mente lo controla todo. Al localizar su propósito básico y decidir que todavía es algo que realmente le interesa lograr habrá ocurrido un fenómeno importante: su propósito básico habrá quedado rehabilitado.

Si la contestación a la pregunta es NO tendría que dedicarle un rato a encontrar cuál es su propio PROPÓSITO BÁSICO personal en cuanto a este tema del metabolismo y de adelgazar. Por ejemplo, un propósito como "bajar de peso para complacer a mi marido" no es su propio propósito, es el de su marido. Si lo intenta con un propósito ajeno como este fracasará de seguro. ¡Si no encuentra un PROPÓSITO BÁSICO bien claro, que sea su propio propósito, ni lo intente! Sin un propósito bien claro en su mente es seguro que fracasará nuevamente.

En la vida, para tener éxito en cualquier tema, debemos tener propósitos claros para nuestras acciones. Esta es la razón por la cual un hijo que estudia alguna profesión para "complacer a mamá" generalmente se gradúa con muy buenas notas y termina trabajando en cualquier cosa menos en lo que estudió. Su propósito al estudiar no era su propio propósito, era el propósito de mamá. Este dato es tan básico que aplica a todo lo que hagamos en la vida incluyendo el adelgazar.

No hay NADA más poderoso que la mente. Si usted decide que puede, usted puede. Si decide que lo va a "tratar" usted ya fracasó. La fuerza de su intención y el localizar claramente su propio propósito hace la diferencia.

Tome en consideración que en el camino hacia la meta usted habrá de confrontar momentos de dificultad. Sólo su perseverancia le hará triunfar. Realmente "querer es poder" pero el "querer" no puede ser algo "mongo[1]". Tiene que ser una decisión firme y final de que se va a lograr.

---

[1] mongo: débil, falto de fuerza, perseverancia o resistencia.

¿BAJAR DE PESO O ADELGAZAR?

ESTE ES UN DATO VITAL

Nada me ha dado más trabajo todos estos años que el convencer a las personas que vienen a buscar ayuda a Natural Slim™ de que lo que ellos realmente quieren es "adelgazar". La mente del público está dominada por la idea equivocada de "bajar de peso".

He pasado largas horas convenciendo a una persona de que lo importante no es "bajar de peso", lo importante es adelgazar que quiere decir "reducir la grasa del cuerpo". ¡Hay una diferencia!

El cuerpo humano está compuesto de muchas cosas: carne, huesos, nervios, músculos, agua, grasa, minerales, etc., etc. El público en general que viene a buscar ayuda está poseído por la idea fija de "bajar de peso". Las personas se atormentan con sus metas de "bajar de peso". Sin embargo, el problema de la población no es que pese mucho. El problema de la población es que está gorda. O sea, sus cuerpos están demasiado llenos de grasa.

La diferencia aquí es que lo que realmente deseamos reducir es la GRASA del cuerpo. No queremos reducir ni el agua, ni los huesos, ni la musculatura del cuerpo. Sólo la GRASA. O sea, queremos "adelgazar".

Yo mismo hablo a través de este libro de forma indistinta entre "bajar de peso" y "adelgazar". Me he acostumbrado a que el "bajar de peso" es lo que realmente está en la mente de las personas. Sin embargo, lo que necesitamos es ADELGAZAR.

Muchas personas siguiendo la meta equivocada de "bajar de peso" le han hecho daño permanente a su cuerpo. Por ejemplo, hace poco conocí a una joven de 17 años que tenía su cuerpo deforme con piel caída y colgante en su abdomen, los brazos y hasta en la cara. Esta joven de 17 años parecía tener por lo menos 25 años de edad. Había envejecido prematuramente. La joven en cuestión había experimentado severas depresiones por su obesidad y su decisión había sido la de "bajar de peso". De hecho, bajó 80 libras de peso pero lo hizo con una dieta inhumana en la cual sólo comía sopa de repollo 3 veces al día por unos 10 meses. Logró bajar 80 libras de peso pero en el proceso le causó tanta hambre a su cuerpo que destruyó una porción significativa de toda su musculatura. Como es la musculatura la que sujeta la piel, al destruir los músculos toda la piel le quedó colgando y se le deformó su joven cuerpo. El daño es permanente.

Lo que se desea lograr es "adelgazar". No queremos destruir la musculatura del cuerpo porque la musculatura es la que sujeta la piel como si fueran cables tensores. Si hacemos que el cuerpo pase hambre la musculatura se destruirá y la piel nos quedará colgando. Ya en este punto sólo los cirujanos plásticos nos pudieran ayudar y naturalmente nunca quedaremos como si hubiéramos hecho las cosas bien.

Si usted decide adelgazar deberá olvidarse de su peso. El peso habrá de bajar pero lo que es IMPORTANTE es que se reduzca la GRASA. Cuando la grasa se reduzca notará el cambio en su talla de ropa y si es un hombre lo notará en su cintura. ¡Eso es lo importante, reducir la talla de ropa! Si la talla de ropa o la cintura se reducen ello quiere decir que estamos haciendo lo correcto que es reducir la GRASA del cuerpo.

La mayoría de la gente tiene un serio malentendido con la grasa. La grasa no es una sustancia pesada. ¡De hecho, lo más liviano del cuerpo es la grasa! Lo que realmente pesa mucho en el cuerpo es el agua, los músculos y los huesos.

Si usted observa bien habrá podido ver que en la playa o en la piscina la gente que tiene mucha grasa en el cuerpo flota con facilidad mientras que los flacos casi no pueden boyarse. La grasa es liviana y flota. El problema de la grasa es que es una sustancia VOLUMINOSA. O sea, es una sustancia que ocupa mucho espacio. Pero, la grasa nunca ha sido una sustancia pesada.

LA GRASA FLOTA PORQUE ES LIVIANA

LOS "FLACOS" NO FLOTAN CON FACILIDAD

Por ejemplo, cuando una persona hace ejercicios físicos aumentará su masa muscular y por lo tanto subirá el peso de su cuerpo. Sin embargo, al la persona hacer ejercicios habrá aumentado su masa muscular mientras se reduce la grasa del cuerpo y por lo tanto quedará más pesada y también más esbelta.

Hace poco estuve hablando con una clienta de Natural Slim™ que había bajado de la talla 22 hasta la talla 8 utilizando nuestros servicios. Estaba muy contenta. Me estaba contando de su actual régimen de ejercicios los cuales acompaña con las técnicas de aumentar el metabolismo que aprendió de nosotros. Me comentaba que había estado en otro plan de "bajar de peso" donde le prohibían hacer ejercicio. Le pregunté por qué le prohibían hacer ejercicio. Me comentó que no le permitían hacer ejercicio porque "el ejercicio le aumentaría de peso". Me quedé casi en un estado de "shock" al oír esto. ¿Cómo es posible que alguien le recomiende a otra persona que quiere levantar su metabolismo y adelgazar que no haga ejercicio porque eso le subiría el peso? Me di cuenta de que el malentendido entre "bajar de peso" y "adelgazar" no existe solamente en el público consumidor. Muchos de los profesionales de la salud tienen la misma confusión y por eso hacen recomendaciones de "no hacer ejercicio para no aumentar de peso".

Entonces, lo que usted quiere es subir su metabolismo y ADELGAZAR. ¡Olvídese del maldito peso! ¿De que le serviría a usted "bajar de peso" si la ropa cada vez le quedara más y más apretada? Lo que usted realmente quiere observar es su talla (tamaño de la ropa) o su cintura. Usted quiere que la grasa se vaya y no que la piel le quede colgando como esparadrapos. Para evitar eso es vital que proteja su musculatura y su hidratación.

Despreocúpese del peso, concéntrese en reducir la talla de ropa o la cintura. Guarde la báscula para que no se ponga ansioso pesándose a cada rato. Si usted ocasiona una situación de estrés como quiera no podrá adelgazar porque habrá provocado una alta producción de la hormona del estrés, *cortisol*. El *cortisol* es una hormona que engorda y no le permitirá adelgazar. No trate de adelgazar poniéndose en un severo estrés o presión extrema por "bajar de peso" ya que usted mismo se habrá saboteado los esfuerzos.

Si alguien nota que usted está adelgazando y le hace la pregunta usual de — ¿cuántas libras has bajado? — contéstele que su problema nunca fue el de estar "pesado". Que su problema era el estar un poco "gordo" y que por lo tanto sólo le interesa reducir la grasa del cuerpo; por eso no acostumbra a pesarse. Si quiere, dígale cuántas tallas de ropa o pulgadas de cintura ha reducido. En el proceso le dará una lección correcta a la persona.

Obsérvese también que no debe tener unas expectativas irreales. Si usted padece de varias condiciones de salud siempre se le hará más difícil el adelgazar que si estuviera en perfecta salud. Digamos, si usted padece de alta presión, o de asma, o de diabetes u otra condición ello indica que su cuerpo no está en un estado óptimo. Un cuerpo saludable adelgaza con mucha facilidad. Un cuerpo enfermizo es lento bajando de peso.

En cuanto a las expectativas, se debe estar consciente también que el cuerpo mientras más joven sea mayor potencial tiene de recuperarse el metabolismo y adelgazar. Lo contrario también es cierto. Por ejemplo, a mi edad de 56 años tengo que hacer bastante más esfuerzo. Tengo que ser mucho más disciplinado en mi estilo de vida que lo que sería la situación de un muchacho de 25 años de edad.

Las mujeres siempre adelgazan más lento que los hombres. No se le ocurra entrar en una competencia por adelgazar con su esposo. La razón es que el hombre tiene mucha más musculatura (40% más) que la mujer. Como es la musculatura la que "quema" la grasa los hombres siempre adelgazan más rápido que ellas.

Lo importante es saber lo que queremos: aumentar el metabolismo y "adelgazar".

EL CUERPO ESTÁ VIVO

Parece una tontería el tener que decirlo pero "el cuerpo está vivo". El punto aquí es que los organismos vivos tienen unas características y habilidades muy diferentes a las cosas muertas. El cuerpo humano es un organismo que está vivo. Lo que hay que saber es que el cuerpo debido a que está vivo tiene la capacidad de aprender y de adaptarse.

Se calcula que los cuerpos humanos han habitado este planeta por los últimos 75 millones de años. Es un tiempo bastante largo. En todo este tiempo las condiciones del medioambiente, de la alimentación y de la vida para los seres humanos han sufrido muchos cambios. Los cuerpos humanos han podido sobrevivir a todas las épocas simplemente porque son organismos que aprenden y se adaptan.

Hay que estar consciente de esta habilidad de nuestro cuerpo a aprender y a adaptarse cuando uno decide subir el metabolismo y adelgazar. Si no lo toma en cuenta podría fracasar en su intento. El cuerpo se adapta a todo. Se adapta a la dieta, a pasar hambre, a no beber agua, a dormir poco o a lo que sea que nosotros le obliguemos a experimentar.

Precisamente, la razón por la cual las dietas de contar calorías no funcionan es este mismo hecho; el cuerpo aprende y se adapta. Cuando una persona hace una dieta de contar calorías en realidad lo que está tratando es de reducirle las fuentes de energía al cuerpo. Las dietas de contar calorías son dietas, en muchos casos, de "pasar hambre" comiendo siempre menos de lo que uno quisiera comer. No funcionan.

La razón por la cual las dietas de contar calorías no funcionan es el hecho de que el cuerpo está vivo y siente la reducción drástica de alimentos que traen estas dietas. De inicio, la persona empieza a bajar de peso cuando hace ese tipo de dieta. Su pérdida principal de peso en las primeras 2 semanas es una pérdida de agua. Luego, la persona continúa la dieta y empieza a bajar de peso pero nota que cada semana que pasa la pérdida de peso es cada vez menor. O sea, algo pasa que el metabolismo se va poniendo cada vez más lento.

Bueno, lo que se ha descubierto sobre esto es que el cuerpo "aprende" y se "adapta" a la reducción de alimentos reduciendo el metabolismo. El cuerpo interpreta la reducción de alimentos como una condición de "escasez". Su solución a la "escasez" es reducir cada vez más la velocidad del metabolismo reduciendo la función de la glándula tiroides.

Esta reducción del metabolismo se ha podido comprobar midiendo la producción de la hormona T3 que produce la glándula tiroides mientras practicamos una dieta. La hormona T3 es la hormona "activa" que determina la velocidad o ritmo del metabolismo. Mientras más tiempo pase una persona a dieta mayor será la reducción en la producción de su glándula tiroides de esta hormona T3 que controla el metabolismo. Es un mecanismo de adaptación del cuerpo. Menos consumo de comida, menos velocidad del metabolismo. Es un intento del cuerpo por "economizar" en tiempos de "escasez".

O sea, las dietas de calorías le dan el mensaje incorrecto al cuerpo. Le dan el mensaje de que tiene que reducir el metabolismo porque si no lo hace se quedará sin comida. Como el cuerpo está diseñado para sobrevivir su respuesta es reducir la función de la glándula tiroides y por ende el metabolismo, para poder sobrevivir con menos comida. Es una reacción de adaptación del cuerpo.

Algunas personas se preguntan por qué se les hace difícil bajar de peso aun cuando están "pasando hambre". Esta es la razón. Cuando usted obliga al cuerpo a "pasar hambre" lo está obligando a adaptarse a tener una escasez de comida y el cuerpo para protegerse lo que hace es que reduce la función de la tiroides y el metabolismo.

El problema aquí es que el cuerpo "aprende" de usted. Este aprendizaje se convierte en un tipo de "memoria celular" bajo el cual las células del cuerpo "recuerdan" los momentos de escasez y se adaptan a tener un metabolismo más lento. Si usted insiste en convencer a su cuerpo de que existe una escasez de alimentos su cuerpo seguirá bajando cada vez más el metabolismo para "economizar". Las células recordarán estos momentos de escasez. Este es el inicio del famoso "metabolismo lento". Si le enseña a su cuerpo que para poder sobrevivir tiene que utilizar menos alimentos él no tendrá más remedio que reducir el metabolismo para poder sobrevivir el hambre y la escasez que usted le cause. Es un suicidio para el metabolismo.

¿Qué haría usted si un día oyera en las noticias que está escaseando la comida en todos los supermercados del país? ¿No tomaría alguna acción para economizar la comida que le queda en su casa o para adquirir más comida en lo que pasa la crisis? Bueno, si hay escasez su cuerpo hace exactamente lo mismo que usted: ¡economiza y almacena! La forma en la que su cuerpo economiza es reduciendo el metabolismo a través de la glándula tiroides. La forma en la que su cuerpo almacena es acumulando grasa.

Cuando una persona ha hecho una de esas dietas de calorías que le hacen pasar hambre o alguna de esas dietas drásticas de consumir sopa solamente por varios días el cuerpo se ve obligado a reducir el metabolismo. A la primera oportunidad que usted abandone la dieta su cuerpo estará

159

listo, esperando para guardar los alimentos que usted le dé; y se los va a almacenar en forma de grasa. Esto es así debido a que el cuerpo se estará adaptando para almacenar energía (grasa) para prepararse para la próxima época de "escasez" que se presente. Esta es la razón del llamado "rebote" o "efecto yo-yo" de las dietas tradicionales de "comer menos".

Cuando usted hace la dieta de consumir menos calorías está creando un "metabolismo lento" y su cuerpo se sigue adaptando a la situación. Cuando finalmente abandone la dieta y trate de comer en cantidades más normales su cuerpo, que ya tiene un metabolismo más lento, empezará a acumular y almacenar grasa. Es un intento que el cuerpo hace para prepararse para sobrevivir la próxima dieta de "pasar hambre" que usted le imponga.

Hay aquí unas diferencias que deben establecerse. Su cuerpo está vivo. Usted es un ser que habita en un cuerpo. Pero usted no es su cuerpo. Usted tiene pensamientos, decisiones y emociones. Su cuerpo realmente no piensa, no decide ni crea emociones. Usted es usted y su cuerpo es su cuerpo. No son la misma cosa.

Pensamos que usted es quién domina a su cuerpo (esperamos), no su cuerpo a usted. Pero, no hay que olvidar que el cuerpo es un organismo vivo y que los organismos vivos aprenden y se adaptan a su medioambiente y a las condiciones que les rodean. No cometa el error de darle el mensaje a su cuerpo de que la comida escasea. Si lo hace tendrá un "metabolismo lento" y se le hará o difícil o imposible adelgazar.

En mi experiencia las personas que tienen la cantidad de intentos más variados y drásticos de hacer dieta para bajar de peso son las personas que más "metabolismo lento" tienen. O sea, las personas que han estado "toda su vida a dieta" y que pasan de una dieta de moda a la próxima son las personas que más daño le han hecho a su metabolismo. Han logrado convencer a su cuerpo de que existe una constante escasez. La solución de su cuerpo, como organismo vivo que aprende y se adapta, ha sido la de reducir el metabolismo para poder sobrevivir la escasez.

Entonces, para poder subir el metabolismo hace falta reversar el proceso de aprendizaje y adaptación del cuerpo. En mi experiencia, es mucho más fácil convencer a un cuerpo a que reduzca el metabolismo, a convencerlo de que acelere el metabolismo. Las razones están contenidas bajo el tema de la glándula tiroides (véase tema PROBLEMAS CON EL SISTEMA DE LA GLÁNDULA TIROIDES).

De todas maneras, lo que interesa aquí es que usted entienda que existe una interrelación muy estrecha entre lo que usted hace con su cuerpo y las reacciones de su cuerpo. Si no está consciente de que su cuerpo está vivo no podrá saber qué acciones suyas le dan el mensaje correcto de ¡sube el metabolismo! y cuáles le obligan a reducirlo. Sí, su cuerpo está vivo.

LOS ALIMENTOS - FUENTES DE ENERGÍA PARA EL METABOLISMO

El metabolismo es la suma de todos los movimientos, acciones y cambios que ocurren en el cuerpo para convertir los alimentos y los nutrientes en energía para sobrevivir. Es todo un sistema de conversión de energía. Los alimentos y los nutrientes (vitaminas, minerales y agua) son fuentes de energía como decir la gasolina que se le pone a su carro. El metabolismo convierte estas fuentes de energía en energía para respirar, moverse, protegerse, crecer y sobrevivir.

Los alimentos son fuentes de energía. Pero, de la misma forma en que existen gasolinas de distintos octanajes (potencias), los distintos tipos de alimentos también proveen distintos niveles de energía potencial a su cuerpo.

Los carbohidratos naturales (vegetales y ensalada) que no son almidones[†] proveen una energía a corto plazo (3-4 horas) y son alimentos muy limpios, muy completos en nutrientes y muy deseables. Fíjese que cuando usted almuerza solamente una ensalada puede sentir hambre nuevamente mucho más temprano en la tarde que si hubiera almorzado con alguna porción de carne (proteína).

Los almidones (papa, yautía, batata y otros tubérculos) proveen una energía a corto plazo (2-4 horas) y contienen muchos buenos nutrientes. No obstante, los almidones son por definición "azúcar simple" (vea su diccionario) y las azúcares simples se convierten rápidamente en glucosa. Esto hace que no se puedan abusar porque si se usan en demasiada proporción le engordarán.

Los carbohidratos refinados (azúcar, pan, harina, pasta, arroz, galletitas, etc.) proveen energía a muy corto plazo (2-3 horas). Los carbohidratos refinados son alimentos que ya han sido cocinados, pulidos, majados, filtrados o de alguna otra forma procesados industrialmente. Las moléculas de estos alimentos ya están en tamaños muy pequeños y eso hace que se absorban muy rápidamente con muy poco trabajo de la digestión del cuerpo. Por esta razón su cuerpo los puede convertir en glucosa "más rápido que ligero". El exceso de glucosa, como ya usted sabe, acompañado del exceso de *insulina* que ello crea, es el causante del sobrepeso o la obesidad.

Los carbohidratos refinados traen consigo el otro problema crítico: están desprovistos de nutrientes (vitaminas y minerales). Son como dicen los nutricionistas "calorías vacías". Los procesos industriales a los que se someten los carbohidratos refinados les despojan de la mayoría de sus vitaminas y minerales lo cual hace que sean "desalimentos". O sea, alimentos que no alimentan. Para que el cuerpo pueda convertir un alimento en energía para subir el metabolismo necesita por fuerza utilizar las vitaminas y los minerales que ellos contienen. Si casi no contienen vitaminas y minerales para lo único que le sirven al cuerpo es para crear más glucosa y con la ayuda de la *insulina*: más grasa.

Las personas que han emigrado de otros países del Caribe, de Centro o Sur América, como decir la República Dominicana, Venezuela o México se sorprenden de lo rápido que aumentan de peso en nuestro país o en los Estados Unidos. Este fenómeno es algo fácil de entender cuando comparamos el tipo de carbohidratos que ellos consumían en sus países y los comparamos con los carbohidratos refinados que predominan acá. Los carbohidratos refinados que consumimos están desprovistos de vitaminas y minerales; realmente engordan. Como si eso fuera poco los nuestros contienen colorantes y preservativos que reducen el metabolismo. Los que ellos comían eran muchísimo menos industrializados y el cuerpo no se veía forzado a convertirlos en grasa.

Las proteínas (carnes, mariscos, quesos, huevos) son alimentos que podríamos llamar de "alto octanaje", de alta potencia. Las proteínas tardan mucho más en digerirse y su efecto de producción de energía es mucho más duradero (4-6 horas). Es por esto que después de un almuerzo alto en proteínas se le hará difícil el cenar muy temprano porque todavía se sentirá lleno.

Debo mencionar que de la misma forma en que existen calidades de gasolinas así mismo existen calidades de proteínas como las carnes. Las carnes que más ayudan a adelgazar son las carnes blancas como pollo, pavo, pescado y mariscos. Las carnes rojas (de res y de cerdo) tienen la desventaja que contienen un compuesto llamado *ácido arácnido* (AA) que tiende a causar inflamación en el cuerpo. No es que se deban eliminar totalmente las carnes rojas de la dieta. Es que si uno desea subir el metabolismo al máximo posible debe reducir la proporción de las carnes rojas y preferir las carnes blancas. Hacerlo le hará adelgazar muchísimo más rápido. Ello no quiere decir que de vez en cuando usted no se premie con una carne frita de cerdo si es algo que usted disfruta. Es cuestión de preferir aquello que más acelera el metabolismo. Toda sustancia que produzca o promueva la inflamación en el cuerpo, como el *ácido arácnido* (AA) que contiene la carne roja, tiende a reducir la velocidad del metabolismo.

Las grasas son alimentos que proveen mucha energía. Son alimentos que proveen una sensación de llenura y satisfacción. Su efecto de producción de energía es parecido al de las proteínas (4-6 horas). Cuando consume grasas o aceites con sus alimentos usted se llena más rápido debido a que la grasa y los aceites provocan una reacción del cuerpo en la cual se produce la hormona CCK. La hormona CCK realmente se llama *"cholecystokinin"* o *"pancreozymin"*. Es una hormona que se produce en el cuerpo en respuesta a las grasas y aceites, es la hormona que le da al cerebro el mensaje de "estoy lleno, no tengo más hambre". En estudios que se han hecho se ha inyectado hormona CCK a distintos animales y siempre se produce una desaparición del hambre.

Por esto mismo las dietas bajas en grasas mantienen una incómoda sensación de hambre, por falta de la creación de la hormona CCK. Por ejemplo, y como conocerá usted más adelante, el aceite de coco orgánico es una grasa saturada que le reducirá el hambre dramáticamente y le hará adelgazar. Esto es así porque este aceite provoca una fuerte reacción de la hormona CCK y a su cuerpo simplemente se le quitará el hambre.

La dieta ideal para subir el metabolismo debe contener grasa y aceites. Las grasas pueden ser saturadas como la de cerdo pero esto es algo de lo que no debe abusar. Las mejores grasas para adelgazar son las grasas y aceites contenidos en los pescados y mariscos. El aceite de oliva es excelente para usted.

Cuando consume grasas saturadas como la de cerdo debe a toda costa evitar el combinarlas con un alto consumo de carbohidratos refinados. Si combina las grasas saturadas con carbohidratos refinados habrá creado un verdadero desastre nutricional para su cuerpo. Si combina grasas saturadas con ensalada o vegetales, como decir chuletas de cerdo con ensalada, todavía podrá adelgazar.

La fibra es parte de los carbohidratos y es muy recomendable. Por esto mismo, si va a comer pan, sería mejor que ordenara un pan integral con un alto contenido de fibra. En general, el pan mientras más blanco sea su color menos fibra tendrá. Los panes que contienen una buena proporción de fibra nunca son de colores blancos o claritos. En Europa, puede observar como la gente come un tipo de pan que es bastante duro para mascar. Eso es así debido a que en Europa el público desea un pan alto en fibra y por lo tanto son panes de textura y consistencia dura. La obesidad en Europa no es ni la mitad del problema que es en nuestro lado del planeta donde el pan es blanco, dulce y blandito.

Cada tipo de alimento contribuye al metabolismo de distinta manera. Nada está o debe estar prohibido, nada. Sin embargo, aquí la meta lógica es utilizar más de los alimentos que ayudan a acelerar el metabolismo y menos de los que lo reducen.

¿VITAMINAS O VITAPOBRES?

ESTE ES UN DATO VITAL

Para subir el metabolismo hay que lograr que los procesos y cambios químicos que el cuerpo necesita llevar a cabo para extraer la energía de los alimentos y nutrientes se hagan posibles. Si estos procesos y cambios químicos internos del cuerpo no se ejecutan eficientemente el cuerpo producirá poca energía y seguiremos teniendo un "metabolismo lento".

Para extraer la energía que contienen los alimentos y convertirla en energía utilizable para el metabolismo, el cuerpo humano utiliza más de 500 enzimas[†] distintas. Las enzimas dependen de las vitaminas y de los minerales para poder ejercer su acción.

Las autoridades médicas modernas han tratado de restarle importancia a la práctica de suplementar la dieta con vitaminas y minerales. Reclaman que "no hay suficiente evidencia" para demostrar que existen deficiencias de vitaminas o minerales en nuestra población. Curiosamente, hubo un estudio reciente que reflejó que menos del 20% de los médicos recomiendan rutinariamente el uso de suplementos de vitaminas y minerales a sus pacientes. Sin embargo, el mismo estudio reflejó que el 56% (la mayoría) de los doctores personalmente utilizan algún suplemento diario de vitaminas. Es una actitud oficial de "no hace falta" acompañada de una actitud personal de "déjame yo tomármelas por si acaso".

Le puedo decir, por experiencia con miles de personas, que si usted no consume un suplemento de vitaminas y minerales que sea de alta potencia no logrará subir el metabolismo ni adelgazar a largo plazo. Es la verdad, sin vitaminas no lo logrará. Y si las vitaminas que utiliza son de tipo comercial de poquísima potencia, como decir vitaminas *Centrum®*, tampoco lo logrará.

Fíjese, los compuestos de vitaminas se diferencian por los tamaños o potencias de sus dosis. Las vitaminas comerciales como *Centrum®* y otras, tienen contenidos de sólo 1 o 2 miligramos de cada una de las vitaminas del complejo B (B1, B2, B3, B5, B6). Las vitaminas de buena potencia traen contenidos de 25 o 50 miligramos de cada una de las vitaminas del complejo B. O sea, son de 25 a 50 veces más potentes que las comerciales.

Si en algo no quiere usted ahorrar dinero es en su compra de un buen compuesto de vitaminas. Si compra algo barato de muy pobre potencia le aplicará la frase de "lo barato sale caro" porque no logrará vencer el "metabolismo lento". Habrá perdido su tiempo nuevamente y tendrá que sumar otro fracaso a su larga lista. Sin unas vitaminas y minerales potentes no se puede lograr.

Cuando vaya a comprar vitaminas observe las dosis que la fórmula contiene. Las vitaminas de alta potencia nunca tienen menos de 25 miligramos de cada una de las vitaminas del complejo B. Si las consigue con por lo menos 50 miligramos de cada una de las vitaminas del complejo B serían todavía mejores. Las vitaminas del complejo B son las que controlan la producción de energía del cuerpo. Sin ellas, no habrá suficiente producción de energía para lograr subir el metabolismo y usted seguirá sufriendo de un "metabolismo lento"

Cuando consume a diario un complejo de vitaminas y minerales de alta potencia usted siente la diferencia. Con las vitaminas comerciales usted no siente la diferencia.

Hay varias vitaminas y minerales que están íntimamente ligadas a los procesos del metabolismo. Muchos años de haber consumido una pobre dieta alta en carbohidratos refinados produce en el cuerpo una acumulación de deficiencias que afectan la producción de energía a nivel de las células. Generalmente, mientras más sobrepeso o más obeso está el cuerpo de una persona mayor serán sus deficiencias acumuladas.

Por otro lado, hay viarios medicamentos para la diabetes, para la alta presión, para el corazón y para varias otras condiciones que ocasionan una deficiencia de vitaminas en el cuerpo. Para mencionar una de ellas, se sabe que la aspirina ocasiona deficiencias de vitamina C y de vitamina B-12. La vitamina B-12 es esencial para la hemoglobina[1], que son las células que transportan el oxígeno a las células del cuerpo. A la condición de baja hemoglobina se le llama anemia. Lo mismo pasa con los medicamentos que se utilizan para controlar el alto colesterol y con muchos otros.

Algunas deficiencias de vitaminas y minerales impactan directamente el funcionamiento de la glándula tiroides que es la que controla el metabolismo del cuerpo. Por ejemplo, la tiroides produce hormona T4 pero esta hormona no es una hormona activa hasta que una enzima llamada *deiodinase* convierte la T4 en hormona T3. La enzima *deiodinase* depende totalmente del mineral selenio. Esta es la razón por la cual a las personas que están deficientes del mineral selenio generalmente se les descubre una condición de hipotiroidismo.

La glándula tiroides no puede fabricar hormona T4 si le falta el mineral cinc o el cobre. Las cantidades de estos

---

[1] hemoglobina: células de la sangre que transportan el oxígeno al resto de las células del cuerpo. Cuando la hemoglobina está demasiado baja se desarrolla una condición llamada "anemia".

minerales que el cuerpo necesita son muy pequeñas pero eso no quita que químicamente no puede fabricar la hormona T4 de la glándula tiroides si le falta el cinc, el cobre o el mineral selenio[1]. Para el cuerpo tratar de producir hormonas de la tiroides sin tener cinc, cobre o selenio es como tratar de construir un edificio sin tener cemento.

Por otro lado, la *insulina* de un diabético es imposible de fabricar cuando existe una deficiencia del mineral magnesio. Muchos de los diabéticos son diabéticos debido a que sus cuerpos fabrican una hormona *insulina* que parece estar defectuosa y se crea lo que llaman "resistencia a la *insulina*". Tan pronto empiezan a consumir un buen complejo de vitaminas y minerales los diabéticos observan que sus niveles de glucosa en la sangre empiezan a reducirse. Al cuerpo obtener las vitaminas y minerales que necesita, deja de producir hormona *insulina* defectuosa y ello contribuye a que se normalice la azúcar de la sangre (glucosa).

En el tema del metabolismo no hay milagros. El cuerpo necesita lo que necesita para poder subir el metabolismo. Si usted se lo da verá los resultados. El uso diario de un buen complejo de vitaminas y minerales es vital para tener éxito.

---

[1] selenio: uno de los minerales que el cuerpo necesita en minúsculas cantidades pero sin el cual no puede producir hormonas en la glándula tiroides.

¿CÓMO SE CREA LA GRASA DEL CUERPO?

ESTE ES UN DATO VITAL

Para poder adelgazar es necesario entender cómo se crea la grasa del cuerpo. La idea es que una persona logre acelerar el ritmo de su metabolismo para ir "quemando" la grasa que tiene su cuerpo de sobrepeso mientras evita la acumulación de nueva grasa. Para esto TIENE que saber cómo se crea la nueva grasa en su cuerpo, para que la evite.

La grasa es necesaria. Es una sustancia que protege los órganos, que nos da protección del frío y que guarda dentro de si un potencial de energía. Si viniera una época de severa escasez de comida los primeros en morir de hambre lo serán los "flacos" y los últimos que van a morir son los "gorditos". Cuando el cuerpo no tiene más remedio utiliza su grasa como fuente de energía para sobrevivir. Los osos hibernan por largos meses y durante todo ese tiempo sus cuerpos van consumiendo la grasa almacenada. Por eso, el oso empieza su sueño de hibernación estando básicamente obeso y despierta de su sueño como un oso delgado.

La secuencia de creación de grasa en el cuerpo es la siguiente:

GLUCOSA (azúcar de la sangre)	⟹	Con la ayuda de la **INSULINA**	⟹	Se convierte en **GRASA ALMACENADA**

La razón por la cual una dieta que sea alta en carbohidratos refinados produce sobrepeso u obesidad es porque ningún grupo de alimentos produce más glucosa, más rápidamente que los carbohidratos refinados. Mayor cantidad de glucosa fuerza al cuerpo a producir una mayor cantidad de *insulina*. Si las células del cuerpo ya utilizaron la glucosa que necesitaban y sobra un exceso de glucosa, el cuerpo creará grasa para "almacenar" el excedente de glucosa.

EL EXCESO DE CARBOHIDRATOS REFINADOS TRAE
CONSIGO EL SOBREPESO U OBESIDAD

Las proteínas y las grasas también producen glucosa pero lo hacen en cantidades pequeñas lo cual no provoca una producción muy alta de *insulina*. Es la *insulina* la que permite que engordemos. La *insulina* sería comparable a un "carrito de compra" que lleva consigo la glucosa hasta las células para alimentarlas. Si los "carritos de compra" (*insulina*) se quedan cargados de glucosa entonces la *insulina* convertirá ese exceso de glucosa en grasa para almacenar. He ahí la causa del sobrepeso y la obesidad: exceso de glucosa en la sangre y exceso de *insulina*. He ahí también la alta incidencia de diabetes y las condiciones como la hipoglucemia.

¡LAS GRASAS NO SON LAS CULPABLES!

La población en general está cada vez más sobrepeso. Sin embargo, los estudios estadísticos del gobierno y de las industrias de alimentos reflejan que hemos reducido el consumo de grasas de forma consecutiva por los últimos 40 años. Por ejemplo, el estudio del gobierno federal de los Estados Unidos llamado NHANES (*"National Health and Nutrition Examination Survey"*) demuestra que el consumo anual de grasas es un 19% menos que hace 40 años.

La era de los productos *"fat-free"*, *"low fat"* y de los productos denominados con el prefijo "lite" por su contenido más bajo en grasas ha venido dominando el mercado de alimentos por las últimas 3 décadas. ¿Cómo es posible que las estadísticas reflejen que nuestros cuerpos estén más llenos de grasa que antes si ahora comemos menos grasa?

Por muchos años se nos ha vendido la idea de que es la grasa la que ocasiona más grasa. Como público consumidor hemos creído esa idea al punto de que hoy en día consumimos menos grasa que antes. La constante publicidad nos ha hecho conscientes de la realidad que nos querían inculcar: "la grasa es la que engorda". Sin embargo esto es una "media verdad".

Una "media verdad" es algo que contiene una cierta porción de una verdad pero algo que a la misma vez no es 100% verdad. Es como si nuestra pareja nos dijera "yo te quiero" cuando que en realidad lo que quería decir es "yo te quiero si haces lo que yo te digo y nunca me llevas la contraria". Tomar el "yo te quiero" como si fuera una verdad absoluta sería un grave error.

El dato de que las grasas engordan es una "media verdad". Contiene suficiente verdad como para haber pasado por verdad por muchísimos años, pero hoy en día los por cientos de sobrepeso y obesidad de la población demuestran que esta no era una verdad absoluta. Era una "media verdad".

Es verdad que la grasa nos puede engordar. Pero, para que ello sea posible debe estar la hormona *insulina* presente. Sin la hormona *insulina* presente en la escena la grasa no nos puede engordar.

Por ejemplo, los esquimales originales son tribus nómadas. Se sabe que lo único que podía comer un esquimal estaba limitado a lo que se podía conseguir en la región del polo norte. En el polo norte, bien al norte, no hay tierra para sembrar ni para crecer planta vegetal alguna. En el polo norte sólo existe nieve y hielo. Los esquimales siempre sobrevivieron cazando y pescando animales para usarlos de alimento. Un esquimal nómada hacía siempre su desayuno, almuerzo y cena comiendo lo que podía pescar o cazar. Lo que utilizaba de alimento siempre era pescado, focas, osos polares y un tipo de ciervo llamado "caribou" que ronda las planicies del polo norte. En fin, lo único que comía un esquimal era carne o grasa. No existen los carbohidratos en el polo norte, solo carne y grasa de la que está contenida en las carnes de esos pescados y animales.

Observando la dieta alta en grasas de los esquimales nómadas esperaríamos encontrar a una gente muy gorda entre ellos. Sin embargo, nunca existieron esquimales nómadas que estuvieran ni con sobrepeso ni con obesidad.

Hubo un científico investigador de nombre Henry Stephenson que entre los años 1875 y 1876 viajó al polo norte y vivió con los esquimales por 2 años. Durante este tiempo Stephenson comía lo mismo que comían los esquimales, carne y grasa. A Stephenson le sorprendió muchísimo el hecho de que en esos 2 años que estuvo alimentándose solamente de carne y grasa perdió más de 40 libras de peso y su cuerpo se puso esbelto. En aquella época Stephenson escribió un libro sobre su descubrimiento de cómo la dieta de carne y grasa le había reducido la grasa del cuerpo.

Se sabe también que la tribu de los Masai en África por muchísimas generaciones ha sobrevivido en salud utilizando únicamente a su ganado como alimento. Los Masai comen la carne de su ganado y toman también su leche y su sangre. Los Masai siempre fueron reconocidos por las otras tribus como fornidos y delgados guerreros que son respetados por todas las otras tribus. Inclusive hace unos años se le practicaron pruebas de colesterol a las tribus Masai y encontraron que ninguno de los miembros de la tribu tenía niveles de colesterol anormalmente altos.

Debido a la forma en que funciona el cuerpo humano la grasa que contienen los alimentos no se puede convertir en grasa para nuestro cuerpo, a menos que exista mucha *insulina* presente. La *insulina* solamente se produce en grandes cantidades cuando ingerimos carbohidratos refinados. Sin la ayuda de la *insulina* las grasas que consumimos no se pueden acumular en nuestro cuerpo. Es por esto que una carne de cerdo bien grasosa solamente nos podría engordar si la combinamos con alguno de los carbohidratos que fuerzan al cuerpo a producir *insulina*. La carne de cerdo con grasa, de por sí sola, no nos puede engordar.

El problema del sobrepeso y la obesidad no ha sido causado por las grasas que consumimos. Ha sido causado por la combinación entre grasas y carbohidratos refinados. Por ejemplo, almorzar o cenar unas tajadas de pizza (grasa con pan) sería una forma segura de acumular grasa en el cuerpo.

Se pueden consumir grasas sin que ello signifique que vamos a engordar. Lo que no es inteligente es combinar grasa con carbohidratos refinados.

Combinar carbohidratos refinados con grasa es una forma segura de EMPEORAR LO QUE YA DE POR SI ERA MALO. Si usted desea adelgazar tiene que entender que la grasa de por sí no es lo que engorda. La grasa sin la ayuda de la *insulina* que produce su cuerpo cuando consume una buena dosis de carbohidratos no le puede engordar. Disfrútese esa chuleta de cerdo frita con una buena ensalada. Pero, cuidado con esa carne frita si la combina con un plato de arroz con habichuelas[1].

---

[1] habichuelas: guisantes o frijoles.

UNA DIETA CON LA QUE SE PUEDE VIVIR

ESTE ES UN DATO VITAL

La dieta no es el único factor que hay que entender para subir el metabolismo y adelgazar. Hemos visto que hay muchos otros factores que reducen el metabolismo (deshidratación, medicamentos, el hongo candida albicans, el estrés y varios más).

No obstante, la dieta que se utilice es un factor de importancia y es determinante en si vamos a tener éxito o fracaso en nuestro intento de adelgazar. Por lo tanto hace falta tener un concepto claro de cuál sería la dieta recomendable para subir el metabolismo. Inclusive la dieta ideal sería una que nos permita no sentirnos "a dieta". Más allá de eso sería también deseable que el tipo de dieta que utilicemos se pudiera convertir en un "estilo de vida" que nos permita conservar los logros alcanzados una vez hayamos adelgazado. O sea, una dieta que no nos conduzca al famoso "rebote" que les ocurre a la mayoría de las personas que hacen dietas donde generalmente vuelven a ganar el peso perdido y algo más.

He desarrollado un sistema de dieta que no prohíbe nada y que puede ser fácil de llevar si uno tiene una idea general de cuales alimentos adelgazan y cuales alimentos engordan. Si usted observa que el cuerpo solamente puede engordar cuando se produce suficiente *insulina* también puede entender que la meta de una dieta debe ser reducir la producción de *insulina*. La *insulina* es la hormona que transporta la glucosa (azúcar de la sangre) y también transporta la grasa que consumimos hacia la grasa de nuestro cuerpo. O sea, es la *insulina* o el exceso de ella lo que crea una situación de sobrepeso u obesidad.

Para efectos de simplificar podemos dividir los alimentos en términos de cuanta *insulina* se produce cuando usted los consume. Los alimentos que producen una reacción de poca *insulina* en el cuerpo son alimentos que ADELGAZAN. Por el contrario, los alimentos que producen en el cuerpo una reacción de mucha *insulina* son alimentos que ENGORDAN. En principio, y para efectos de lo que deseamos lograr a modo de dieta para adelgazar, solamente hay dos tipos de alimentos:

CLASES DE ALIMENTOS	EJEMPLOS:	EFECTO EN EL CUERPO	TIPO
Alimentos que producen **POCA** reacción de **INSULINA** en el cuerpo	Carnes, pollo, pavo, pescado, mariscos, quesos, huevos, vegetales, jugos de vegetales, ensalada, almendras, nueces	**ADELGAZAN**	**A**
Alimentos que producen **MUCHA** reacción de **INSULINA** en el cuerpo	Pan, pasta, harina, arroz, plátano, papa, tubérculos[†], cereales azúcar, dulces, chocolates, leche, jugos de frutas, refrescos azucarados	**ENGORDAN**	**E**

Si nosotros seleccionamos, como parte de nuestra dieta, más alimentos de los que producen poca reacción de *insulina* en el cuerpo (TIPO A) y menos de los que producen mucha reacción de *insulina* en el cuerpo (TIPO E) empezaremos a adelgazar. Cualquier régimen que reduzca la producción de *insulina* le hará reducir la grasa del cuerpo. O sea, adelgazar.

El sistema que le recomiendo es un sistema donde usted no pasará mucho trabajo midiendo porciones, ni pesando alimentos, ni contando calorías, ni contando carbohidratos – es un sistema VISUAL de PORCIONES. Usted selecciona las porciones que va a consumir de cada tipo de alimento (A o E) y las visualiza sobre su plato.

A este sistema le llamo la "DIETA 2x1© o DIETA 3x1©". El 2x1 representa el usar una proporción de 2 alimentos tipo A por cada alimento del tipo E que se consuma. O sea, 2 porciones de los alimentos que adelgazan (A) y 1 sola porción de los alimentos que engordan (E). Usando una proporción de 2 porciones del tipo A por cada porción del tipo E su plato se vería algo así:

De forma que lo comprenda mejor observe la próxima foto de lo que sería un plato de de pollo frito (tipo A), ensalada (tipo A) y papitas fritas (tipo E). O sea un 2x1.

En la foto anterior quizá nota poca comida y piensa que se quedaría con hambre. Para la foto pusimos poca comida en el plato para que se pudiera distinguir claramente la diferencia entre los 3 tipos de alimentos. No obstante, fíjese que usted puede comer suficiente de cada uno de los alimentos hasta llenarse y quedar satisfecho.

Cuando empiece a utilizar la dieta 2x1© observará que su hambre se reducirá. El hambre se reduce en la dieta 2x1© debido a que al consumir menos proporción de los alimentos tipo E su cuerpo producirá menos *insulina*. La *insulina* es la hormona que aumenta el hambre. Al producirse menos *insulina* tendrá menos hambre y se podrá satisfacer más fácilmente y con menos comida.

Para que esto le funcione como sistema de dieta deberá considerar que TODO lo que se come está dentro del plato a la misma vez. O sea, que si decidió comerse la mitad de la bandeja de pan antes de que le trajeran su plato principal ya no tendrá derecho a comerse el arroz que es un alimento tipo E porque ya consumió su porción de alimentos tipo E en el pan. O sea, que usted escoge lo que desea comer pero se asegura de que los alimentos tipo E nunca sean más de una tercera parte del total a consumir. De esta manera usted está reduciendo la producción de *insulina* en su cuerpo y empezará a adelgazar.

Si en vez del arroz o el pan desea ese día comerse un postre entonces no coma ni pan ni arroz para que le deje su porción de alimentos tipo E separada al postre. Coma entonces carne, ensalada y postre.

En este sistema de la dieta 2x1© usted no tiene que negarse absolutamente nada. Si quiere puede combinar los alimentos tipo E comiéndose una sola rebanada de pan, un poquito de arroz y la mitad de un postre. La idea es que la suma de todos estos alimentos tipo E, que son los que realmente engordan por la alta producción de *insulina* que provocan en el cuerpo, nunca sea más de la tercera parte de su consumo total. O sea, dos porciones de alimentos A (Adelgazan) por cada porción de alimentos E (Engordan) es un "2x1".

La grasa que contenga la carne o la proteína que elija nunca le va a engordar si se asegura de que la producción de *insulina* de su cuerpo sea poca. Esto lo logra utilizando una porción controlada de los alimentos tipo E. Sin la ayuda de la *insulina* la grasa que consuma no le puede engordar. Es la hormona *insulina* la que permite que la grasa que usted consume sea utilizada por su cuerpo para producir más grasa. Sin *insulina* la grasa que consuma simplemente no le puede engordar. Por lo tanto, el juego del asunto es controlar la producción de *insulina* controlando las porciones de los alimentos tipo E.

Por ejemplo, si se come una chuleta de cerdo con ensalada, la grasa de la carne no podrá ser utilizada por su cuerpo ya que la ensalada produce muy poca reacción de *insulina*. Pero, si comete el error de comerse esa misma chuleta de cerdo acompañada de una porción sustanciosa de arroz y habichuelas, es seguro que usted engordará. La *insulina* es el "carrito de carga" que recoge la grasa y la glucosa para convertirlas en nuevas grasas para el cuerpo. Si controla los alimentos tipo E no tendrá problema en comerse una carne frita de cerdo ni ninguna otra carne con grasa.

Si tiene muchas libras de grasa para bajar de peso o si tiene prisa para lograrlo entonces utilice el 3x1. En el 3x1 usted se asegura de que los alimentos tipo E nunca sean más de una cuarta parte del consumo total. Un ejemplo sería una comida que empieza con un aperitivo de queso frito y un plato de pechuga de pollo con vegetales hervidos y un par de tajadas de pan.

Esto anterior sería un 3x1. O sea, 3 porciones de alimentos tipo A por cada porción de alimentos tipo E.

El 3x1 produce en el cuerpo menos *insulina* que el 2x1 por razones obvias ya que contiene menos proporción de los alimentos tipo E. Para los diabéticos la dieta 3x1© es ideal porque controla los niveles de glucosa en la sangre y les ayuda a controlar su diabetes. La dieta 3x1© también reduce las necesidades de *insulina* para aquellos diabéticos que se inyectan. Los diabéticos que se miden la glucosa periódicamente con sus maquinitas medidoras de glucosa verán una reducción muy marcada en sus niveles de glucosa cuando utilicen la dieta 3x1©.

Cuídese de no engañarse usted mismo con alimentos como las carnes empanadas. Las carnes empanadas están cubiertas de harina de trigo, o sea pan. Si usted ordena una carne empanada considere que ya consumió su porción de pan para que no rompa su dieta 2x1© o 3x1©. Tampoco se engañe usted mismo ignorando los VOLÚMENES (espacio que ocupan) de los alimentos. Si su montaña de arroz y habichuelas o su plátano majado (mofongo[†]) es muy alto en el plato vale por 2 porciones al considerar su VOLÚMEN.

En el caso de un sabroso plátano majado (mofongo[†]) lo que yo hago es dividirlo en dos y comerme la mitad acompañado de una buena ensalada y alguna carne. De esta forma no tengo que sufrir al negármelo ni tampoco rompo mi dieta 2x1©. Naturalmente, si voy a comer plátano majado (mofongo[†]) ya sé que tengo que obviar el pan de la bandeja con el que siempre me dan la bienvenida. A veces, lo que hago es que pido algún aperitivo alto en proteínas como decir chorizos al vino, queso frito o jamón serrano y le pido al mozo que se lleve el pan para no tener la tentación.

Con los sándwiches y hamburgers la situación es que son mayoritariamente, por proporción, y por VOLUMEN mucho pan. Un hamburger, cuando usted lo presenta en un plato y coloca los dos pedazos de pan en las proporciones que realmente ocupan del plato se verá algo así:

La cantidad de ensalada que le ponen a un hamburger es tan pequeña en comparación a la cantidad de pan que no se puede ni contar. Los sándwiches y los hamburgers no le van a ayudar a adelgazar porque el pan que contienen produce demasiada *insulina*. Esta es la razón por la cual los restaurantes *"fast food"* (comida rápida) han tenido un impacto tan negativo en la salud general de la población. Como si esto fuera poco daño los restaurantes de *"fast foods"* acompañan estos hamburgers con papas fritas (tipo E) y refrescos azucarados (tipo E).

Dentro de los carbohidratos refinados como el pan también existen calidades. La realidad es que el pan blanco se digiere a una velocidad acelerada. Esto le permite al cuerpo la facilidad de convertirlo en glucosa y luego en grasa rápidamente. Siempre que usted pueda escoger un pan integral con alto contenido de fibra se la hará más fácil subir el metabolismo y adelgazar. Por esa misma razón un sándwich siempre es menos dañino cuando se consume con pan integral que con pan blanco. El pan, integral o blanco, como quiera sigue siendo un alimento tipo E por la cantidad de producción de *insulina* que provoca en el cuerpo. Pero, si usted tiene la oportunidad de escoger un pan integral en vez de un pan blanco estará acumulando puntos a su favor.

Sobre el tema de las frutas puedo decirle que si la fruta es de sabor dulce eso indica que también es alta en carbohidratos y es un alimento tipo E de los que engordan y hay que controlar. Las frutas muy dulces como el guineo, mango, melón y naranja (china) son alimentos tipo E. Sin embargo, hay frutas que no son tan dulces, como las fresas y las manzanas, que cualifican como alimentos tipo A de los que adelgazan. En general si la fruta es dulce es un alimento tipo E y si no es muy dulce es un alimento tipo A.

Si su situación ha llegado al punto donde el cuerpo está muy sobrepeso u obeso, analice y verá que ha estado comiendo 5 y hasta 8 veces más de los alimentos tipo E (engordan) que de los alimentos tipo A (adelgazan).

Una cena que empieza con una bandeja de pan, que continúa con un aperitivo de unas croquetas de harina y que consiste de un pedazo de carne con un montón de arroz y habichuelas acompañados de unos plátanos fritos (tostones), que se baja con una Coca-Cola® y que finaliza con un postre azucarado ("tres leches", flan, pastel, etc.) es como un 1x6 entre alimentos tipo A y alimentos tipo E. Esto sería algo desastroso para su metabolismo.

Entonces, escoja el usar una dieta 2x1© o 3x1© según su necesidad y sus metas de tiempo. También puede empezar con una dieta 3x1© en lo que ve resultados que le causen entusiasmo o lograr su meta y usar luego el sistema de la dieta 2x1© como dieta de mantenimiento. Sea como sea, si usted reduce los alimentos tipo E y aumenta los alimentos tipo A verá su grasa desaparecer y su metabolismo subir.

En la dieta 2x1© o dieta 3x1© no hay ningún tipo de alimento que esté prohibido. Todos los tipos de alimentos son aceptables y por lo tanto usted no se tiene que cohibir de nada. Es sólo cuestión de reducir la proporción de los alimentos tipo E (engordan) para que nunca sean más de ⅓ parte de lo que usted va a consumir si está haciendo la dieta 2x1©. O reducir los tipo E a no más de ¼ parte de lo que va a consumir si está haciendo la dieta 3x1©. Pero, nada está prohibido porque las dietas 2x1© y 3x1© son más un "estilo de vida" que unas dietas.

Las combinaciones que se pueden hacer en la dieta 2x1© son interminables. A continuación hay algunas que usted pudiera disfrutar:

UN DESAYUNO 2X1©: HUEVOS, TOCINETA Y PAPAS

POLLO GUISADO CON ENSALADA Y ARROZ AL ESTILO 2X1©

UN 2X1© DE SALMÓN, ARROZ Y VEGETALES

UN PLATO DE CARNE, PASTA Y VEGETALES AL ESTILO 2X1©

CÓMO SOBREVIVIR "EN LA CALLE"

Para garantizar el éxito utilizando una dieta 2x1© o 3x1© es bueno tener estrategias o "trucos" que nos permitan sobrevivir utilizando lo que está disponible como alimentos "en la calle". O sea, en las cafeterías, restaurantes y hasta en los restaurantes de comida rápida (*"fast foods"*).

Lo ideal es evitar los restaurantes de comida rápida (*"fast foods"*) pero reconozco que en ocasiones no nos queda ninguna otra alternativa. Es bueno saber qué hacer cuando las circunstancias nos obligan a consumir lo que más cercano nos queda aunque ello no sea lo más saludable.

Hace falta ponerse curioso e ir aprendiendo qué combinaciones de alimentos podemos hacer con lo que está disponible en nuestro medio ambiente. Si el almuerzo lo provee una cafetería la costumbre usual será servirnos platos con arroz y habichuelas o con tostones (plátanos fritos). Esto se puede cambiar para ajustarlo a una dieta 2x1© o 3x1©.

Por ejemplo, en ocasiones pido un almuerzo de chuletas de cerdo con arroz, habichuelas y ensalada. Cuando lo voy a consumir me aseguro de que la porción de arroz y habichuelas (tipo E) que consuma no sea mayor de ⅓ parte de lo que voy a consumir en total. Eso generalmente significa que me comeré aproximadamente un tercio de la cantidad de arroz y habichuelas que me sirvan en el plato. Por su puesto, debo acompañar mi comida con agua. Los refrescos, hasta los de dieta, engordan. (véase tema: DESHIDRATACIÓN)

Todos los restaurantes de comida rápida tienen ensaladas con pechuga de pollo. Si no deseo ensalada utilizo otras combinaciones pero nunca acepto sus "ofertas" porque siempre están compuestas de una porción alta de carbohidratos (papas fritas, refresco azucarado, pan) y poca proteína (carne). Por ejemplo, si voy a un KFC® (*Kentucky Fried®*) pido 2 pechugas de pollo, una ensalada de repollo ("*cole slaw*") y una botella de agua. Como la pechuga es empanada considero que el empanado es mi porción de alimento tipo E. Por lo tanto termino con un 2x1 compuesto de carne de pollo (tipo A), ensalada de repollo (tipo A) y empanado de las pechugas de pollo (tipo E). En fin, un 2x1.

El 2x1 de pechuga de pollo empanada con ensalada de repollo se vería algo así:

En los restaurantes de comida rápida que se especializan en hamburgers (*McDonalds®*, *Burger King®*) ya ofrecen sus hamburgers, "al plato" con ensalada. Esto es otra opción porque evita el pan que es lo que realmente engorda del hamburger.

En mi restaurante criollo favorito he aprendido a escoger "chicharrones de pollo" (son empanados) con ensalada para obtener un 2x1. Si pido una carne guisada con arroz y habichuelas me aseguro de que la porción de arroz y habichuelas no sobrepase más de ⅓ de lo que voy a comer.

Me fascina la carne de cerdo frita, aunque sé que no debo abusarla, y me la limito a una vez por semana. Cuando la ordeno la pido con tostones (plátano frito) y me como sólo 2 de ellos, la acompaño con alguna ensalada de lechuga y tomate u otra. Esto me mantiene la proporción de la dieta 2x1©.

A veces pido un bistec encebollado con tostones (plátano frito) y lo acompaño con una ensalada "caesar". Me aseguro de comerme solamente 2 tostones para no excederme en mi porción de alimentos tipo E y tener nuevamente un 2x1.

En mi restaurante italiano favorito la especialidad, naturalmente, es la pasta. La pasta es alta en carbohidratos y es una alimento tipo E porque causa una reacción alta de *insulina*. No obstante, no me la tengo que negar. Lo que hago es que pido alguno de los platos italianos a base de ternera (tipo A) o un pescado (tipo A) acompañado de una pasta (tipo E) con mi salsa favorita. Me aseguro de que el consumo de pasta (tipo E) nunca sea más de ⅓ del total consumido. Esto puede ser inclusive a base de 2 porciones de ternera o pescado por cada porción de pasta para no violar mi dieta 2x1©.

Cuando voy al restaurante argentino no tengo problemas de selección. Tienen chorizos (tipo A) como aperitivo y puedo ordenar una carne con una porción de papa majada, tostones o papas fritas que no voy a permitir que se exceda de ⅓ del total consumido. Los restaurantes argentinos utilizan también las combinaciones con pasta (tipo E) y esto se puede aceptar siempre y cuando la porción de pasta no exceda ⅓ del total consumido. En Argentina no existe un índice de obesidad ni remotamente cercano al nuestro. De hecho, la mayoría de los argentinos se mantienen relativamente delgados. Eso se debe a sus costumbres europeas (pan duro, poco dulce, poca azúcar) y al hecho de que consumen comidas altas en proteínas (carne, queso, jamón, chorizos) y mucha ensalada y vegetales. Los restaurantes de comida rápida (*"fast foods"*) no han tenido un gran crecimiento ni en Argentina ni en Europa.

Si voy a un restaurante chino pido distintos tipos de platos evitando aquellos que utilizan una salsa dulce para evitar el azúcar que contienen. Pido arroz blanco para acompañarlos y limito la porción del arroz. Los chinos tienen una gran variedad de platos a base de carnes, mariscos o aves combinadas con vegetales refritos (*"stir fried"*). Todos son aceptables para una dieta 2x1© o 3x1©. Es cuestión de evitar aquellos que son demasiado dulces como el cerdo o pollo "agridulce" que los cocinan con un alto contenido de azúcar.

En los restaurantes mexicanos ordeno "carnitas" y me aseguro de no excederme usando demasiadas de sus tortillas de trigo o maíz. El queso fundido es aceptable si no me excedo con las tortillas "chips" (los mexicanos le llaman "totopos") con las que lo acompañan. Mi favorito es un tipo de taco llamado "pionero" cuya tortilla o cobertura exterior está hecha de queso tostado y por lo tanto no contiene ni trigo ni maíz. Hay otro plato llamado "alambre gratinado" que preparan con carne de res o pollo y que contiene una mezcla de tomates, queso, cebollas y pimientos. El "alambre gratinado" lo sirven con unas tortillas de trigo las cuales yo no uso porque el plato de por sí es una comida completa. Sea como sea, trato de mantenerme cercano a la dieta 2x1© sin negarme absolutamente nada.

Cuando uno crea conciencia de que es la hormona *insulina,* la que produce la grasa en el cuerpo, uno empieza a ponerse creativo evitando o reduciendo el consumo de los alimentos que fuerzan al cuerpo a producir mucha *insulina.* Es cuestión de saber que los siguientes alimentos son tipo E porque ocasionan una alta producción de *insulina*:

- arroz
- azúcar
- cereales
- chocolates
- dulces
- frutas dulces
- habichuelas
- harina de trigo

- leche
- pan
- papa
- pasta
- plátano
- refrescos azucarados
- tubérculos

Reducir el consumo de estos alimentos puede parecer difícil al principio por dos razones: 1) son los alimentos más comunes en nuestra dieta típica, y 2) los carbohidratos tienen cierto poder "adictivo" sobre nosotros. (véase tema de LOS CARBOHIDRATOS SON ADICTIVOS)

No obstante, al reducirlos se nos desaparecerá la ansiedad y el deseo de consumirlos. Si este tema le causa cierta ansiedad necesitará la ayuda que sugiero bajo el tema titulado "ROMPIENDO EL VICIO" que está más adelante en el libro.

La realidad es que cuando aumentamos nuestro consumo de proteínas (alimentos tipo A) se nos reduce el hambre y la ansiedad se desaparece. Son los carbohidratos refinados los que causan la ansiedad y el descontrol que la acompaña. Esto es algo que puede comprobar al empezar una dieta 2x1© o 3x1©. En un par de días usted se sentirá sereno y sin "antojos". O sea, habrá tomado el control de su cuerpo y de su sistema hormonal.

Si resulta que usted es de esas personas que no gustan ni de las ensaladas, ni de los vegetales, todavía existe solución. La solución es asegurarse de que su PROPORCIÓN en el consumo de alimentos sea siempre una de 2 porciones de alimentos tipo A (carne, pescado, mariscos, queso, huevos) por cada una porción de alimentos tipo E (pan, pasta, harina, arroz, etc.).

Para lograr que la PROPORCIÓN sea 2x1 o 3x1 usted puede hacerlo aunque sólo consuma 2 alimentos distintos. Eso se logra aumentando la proporción de los tipo A (ADELGAZAN) mientras reduce la de los tipo E (ENGORDAN). Un ejemplo de esto sería un desayuno de 2 huevos fritos con una rebanada de pan.

Utilizando sólo 2 alimentos vea usted como quedaría un desayuno de 2 huevos fritos con una (1) rebanada de pan:

En el ejemplo anterior se logró la proporción de la dieta 2x1© utilizando sólo 2 alimentos, huevos y pan. El ejemplo también pudiera haber sido de un almuerzo compuesto de más cantidad de bistec encebollado (tipo A) y menos cantidad de arroz y habichuelas (tipo E). Siempre y cuando usted no consuma más de ⅓ de su consumo total en los alimentos que engordan (tipo E) usted podrá adelgazar porque estará reduciendo la producción de *insulina* de su cuerpo.

O sea, es sólo cuestión de lograr que el consumo de los alimentos que producen mucha *insulina*, los tipo E, nunca sea mayor de ⅓ del total consumido. Esto se puede lograr aunque sólo sean 2 alimentos distintos. Son situaciones como las de consumir un buen pedazo de carne al carbón y acompañarlo de una porción reducida de papas fritas. Si la proporción de carne consumida es más o menos el doble de la proporción de papas fritas habremos logrado una proporción de 2x1.

En fin, podemos sobrevivir "en la calle" utilizando lo que más se nos haga disponible. La clave es saber cómo crear la proporción que produzca poca *insulina* con la dieta 2x1© o 3x1©.

LAS "DIETAS" NO FUNCIONAN

Distintos estudios que se han hecho han comprobado que aproximadamente el 95% de las personas que empiezan una dieta y pierden peso lo vuelven a ganar nuevamente en menos de 1 año. Esto es como decir que el 95% de las dietas fracasan. ¿De qué sirve sacrificarse con una dieta si en poco tiempo lo que haya logrado se habrá perdido de todas formas? ¿Cuál es el propósito de abstenerme de ciertos alimentos que me gustan si de todas maneras habré de recobrar el peso perdido? ¡Que ganas de perder el tiempo miserablemente!

En realidad, las "dietas" no funcionan. El concepto tradicional de "una dieta" es el concepto de "negarme algo" o "prohibirme algo". Es un concepto negativo.

Hay una característica humana que sabotea todas las dietas. Es la tendencia a desear aquello mismo que se nos dice que no podemos tener. Basta con que a una persona le digan que tiene diabetes, y que no puede comer dulces, para que a esa persona realmente le den fuertes deseos de comer dulces. El principio básico detrás de esta reacción humana parece ser que la "escasez" siempre genera "necesidad".

La única libertad que existe es la libertad de "poder tener" o "poder no tener" algo. Por ejemplo, el que es alcohólico "tiene que tener" el alcohol y por eso es alcohólico. Si pudiera "tenerlo" o "no tenerlo" simplemente sería libre para decidir sobre el alcohol y no sería alcohólico. Cualquier situación donde "tengo que tener" alguna sustancia me crea una adicción. Cualquier situación donde "no puedo tener" una sustancia me crea una escasez de ella y por lo tanto una necesidad. Es una trampa.

Las "dietas", generalmente hablando, son un "no puedo tener" y ocasionan escasez de alguna sustancia y por lo tanto crean un sentido de necesidad. Llevo unos 10 años trabajando con miles de personas que han estado adelgazando. Constantemente tengo que convencer a las personas de que no se prohíban a sí mismas ningún alimento. Sé por experiencia que si se empiezan a negarse un pedazo de postre que realmente quisieran eventualmente habrán de perder el control y se comerán el doble o el triple de lo que habían deseado inicialmente.

La gente está acostumbra a que van, por ejemplo, a un nutricionista, y se les pide que no coman grasa, o no usen sal, o no coman dulces o alguna otra prohibición. O sea, que se acostumbran a pensar en términos de "lo que puedo comer y lo que no puedo comer". Por eso fracasan, se niegan algunas cosas que realmente les gustaban muchísimo. Eso hace que consideren que su dieta es su "enemigo" porque su "dieta" les niega cosas que ellos desearían disfrutar. La mente trabaja por asociación. Todo aquello que nos obstaculice el placer en la vida pudiera llegar a ser considerado nuestro "enemigo". La palabra "dieta" ha llegado a tener una connotación muy negativa porque significa "no puedo esto o no puedo lo otro".

Lo que he visto que funciona es evitar este concepto limitado de "una dieta" y adoptar el concepto amplio de lo que llaman "un estilo de vida". Un "estilo de vida" es una ruta que uno libremente escoge. Si yo sé que ciertos alimentos cuando los uso en exceso me causan daño sería bastante irresponsable de mi parte usarlos en exceso. Eso no quiere decir que tenga que eliminarlos totalmente por completo como si mi religión me los prohibiera. Lo que es óptimo en la vida es lograr un "balance". Los extremos, todos, dificultan la vida y el disfrute de ella.

El propósito principal de este libro, *El Poder del Metabolismo*, es crear conciencia. No se pretende prohibir nada ni ponerlo "a dieta". La idea es que entienda cuáles son los factores que aceleran su metabolismo y cuáles son los que le reducen el metabolismo. La idea es invitarle a participar de un "estilo de vida" donde usted responsablemente utiliza todos los alimentos que le gustan, pero con plena conciencia del efecto que cada uno de ellos tiene sobre su metabolismo y su salud.

No hay ningún alimento que de por sí sea malo. Sí existen alimentos que si usted los ingiere en cantidades pueden ser bastante dañinos a su metabolismo y a su salud. No hay nada malo con un poco de ese postre típico azucarado que nos ofrecen en navidad. No hay nada prohibido en cuanto al arroz, las frituras, los dulces, los chocolates ni ningún otro alimento. Todo es cuestión de proporciones y balance entre ellos. Se puede disfrutar de TODO sin abusar de aquellos que ocasionan mucho daño a la salud como los carbohidratos refinados.

Entonces, le invito a participar de un "estilo de vida" saludable donde usted sentirá un nivel mucho más alto de energía. Donde se sentirá cada día con mejor salud y con menos necesidad de medicamentos. Un "estilo de vida" en el que protege su metabolismo y no ocasiona ni sobrepeso, ni obesidad. Quítese la idea de que está "a dieta", las "dietas" no funcionan, los "estilos de vida" sí funcionan.

LAS MERIENDAS

Una de las recomendaciones más comunes que le hacen distintos expertos a las personas que quieren adelgazar es el tratar de hacer muchas pequeñas comidas o meriendas durante el día. La lógica detrás de esta recomendación es que el cuerpo reacciona subiendo el metabolismo en respuesta a la ingesta de alimentos y el hacer muchas pequeñas meriendas sube el metabolismo. Es algo que suena lógico.

¿Sabía usted que el sólo pensar sobre la comida le sube los niveles de *insulina* en la sangre y las hormonas que causan el hambre? Esto se ha comprobado científicamente con análisis de laboratorios donde se les medían los niveles de distintas hormonas en la sangre a un grupo de voluntarios antes y después de haberles hecho pensar en la comida. Recuerde que la mente lo controla TODO. Basta con que piense en su postre favorito para que ya se haya producido una reacción de *insulina* en su cuerpo.

La hormona *insulina* es la hormona que engorda. Es la hormona que sirve de "carrito de carga" para conducir a la glucosa a las células. Sin glucosa y sin la ayuda de la *insulina* simplemente no se puede engordar. Por lo tanto, uno de los propósitos principales de la dieta 2x1© o 3x1© es REDUCIR la producción de *insulina* del cuerpo. Para poder adelgazar hay que reducir la producción de *insulina* para parar la acumulación de nuevas grasas mientras se logran romper las grasas que ya tenemos acumuladas en el cuerpo.

Bueno, la realidad es que si realmente necesitara hacer 5 ó 6 comidas o meriendas al día su metabolismo ya habría pasado el punto de poderse reparar o mejorar. El comer 5 ó 6 pequeñas comidas o meriendas al día puede que inicialmente le causen una pérdida de peso pero estará acabando de destruir el poco metabolismo que le queda. Aun las meriendas de bajas calorías aumentan la producción de *insulina* y por lo tanto el cuerpo nunca llega a utilizar la hormona contraria a la *insulina* que se llama *glucagona*. Cuando los niveles de glucosa de la sangre se reducen, como pasa en la dieta 2x1© o 3x1©, el cuerpo en vez de producir *insulina* produce *glucagona*. Esta hormona, *glucagona*, convierte la grasa de su cuerpo nuevamente en glucosa para que el cuerpo tenga alimento para sus células. O sea, es la hormona *glucagona* la que le hace adelgazar. Haciendo muchas pequeñas comidas y meriendas su cuerpo nunca empezará realmente a quemar la grasa.

Fíjese que toda la grasa en exceso que tenga su cuerpo en un momento fue glucosa y luego con la acción de la *insulina* se convirtió en grasa. La secuencia y fórmula es: "glucosa + *insulina* = grasa". La *glucagona* hace exactamente lo contrario de la *insulina*. La *glucagona* rompe la grasa y la convierte nuevamente en glucosa. Es esto lo que le hace adelgazar y reducir la talla de ropa o la cintura de su cuerpo.

Solamente aumentando el tiempo entre las comidas podrá adelgazar. El cuerpo humano no está diseñado para funcionar como lo hace el ganado que se pasa el día entero comiendo pasto o las gallinas que no paran de comer maíz. Hacer varias meriendas al día acabará con su metabolismo. Usted necesita 3 buenas comidas altas en proteínas y reducidas en carbohidratos refinados y nada más.

¡Lo que siempre pasa cuando una persona hace una dieta 2x1© o 3x1© es que el hambre se desaparece! Sí, la dieta 2x1© o 3x1© le elimina el hambre fuera de horas, al punto que a veces se le hará difícil el almorzar debido a que hizo un buen desayuno alto en proteínas. Muchas veces su cuerpo no tendrá deseos de más comida aun después de haber pasado 4 horas o más desde su desayuno.

La dieta 2x1© reduce los niveles de *insulina* (causa hambre) y aumenta los niveles de *glucagona* (quita el hambre). Por eso, usted no tendrá que controlar su hambre fuera de horas porque es imposible que tenga hambre si su cuerpo no produce mucha *insulina*.

La recomendación de "hacer varias meriendas o pequeñas comidas al día" se originó en las comunidades de los fisiculturistas[1] y los diabéticos. Son comunidades con necesidades especiales y no son el caso de la persona común. Los fisiculturistas alzan pesas y en el proceso consumen mucha glucosa. Por lo tanto, tienen que reemplazar esta glucosa con pequeñas meriendas durante todo el día.

El caso de los diabéticos, los nutricionistas han observado que sus niveles de glucosa son inestables. O sea, o demasiado altos (diabetes) o demasiado bajos (hipoglucemia). La solución de los nutricionistas fue "hacer muchas pequeñas comidas o meriendas durante el día" para mantener los niveles de glucosa. En mi opinión, y basado en los más de 2,000 diabéticos con los que hemos trabajado en el sistema Natural Slim™, el obligar a los diabéticos a comer cada 2 o 3 horas era la solución incorrecta. De hecho, era la solución que más gordos los ha puesto. La solución que garantiza que siempre tendrán niveles altos de glucosa y necesidades acrecentadas de insulina.

Trabajando con miles de diabéticos nos dimos cuenta de que el problema para ellos lo son los carbohidratos refinados, punto. Nada más les causa problemas a los diabéticos, los carbohidratos refinados. Cuando una persona con diabetes hace una dieta 2x1© o idealmente una dieta 3x1 verá que sus niveles de glucosa en la sangre se mantendrán

---

[1] "fisiculturistas" se les llama a las personas que se dedican a desarrollar su musculatura haciendo rutinas de levantamientos de pesas.

estables por lo menos por 4 horas después de una comida que sea alta en proteínas y baja en carbohidratos refinados. Esto es algo que la misma persona diabética puede comprobar con su maquinita de medirse la glucosa, no es algo teórico.

Los diabéticos son las personas que más se benefician de la dieta 2x1© o 3x1©. Al hacerla sentirán un aumento considerable de energía y su hambre se desaparecerá. Si utilizan inyecciones de *insulina* tendrán que reducir la dosis de *insulina* en coordinación con su médico. Esto es algo que siempre les pasa a los diabéticos que hacen una dieta 2x1© y muy en especial a los que practican una dieta 3x1©. Se reducen las necesidades de *insulina* de su cuerpo.

Varios estudios científicos han encontrado una correlación entre el número de periodos de comidas que se hacen al día y la obesidad. Un estudio encontró que las mujeres obesas consumían una comida más al día que las mujeres que no estaban obesas. Las mujeres sobrepeso tendían a consumir más meriendas entre sus comidas que las mujeres que no estaban sobrepeso.

Naturalmente, el cuerpo necesita un periodo de adaptación. Si usted empieza a hacer una dieta 2x1© o 3x1© y todavía siente deseos o necesidad de merendar algo no le haga pasar hambre a su cuerpo. Si le hace pasar hambre el cuerpo entrará en estrés y producirá la hormona del estrés *cortisol* lo cual le hará engordar. Por lo tanto, nunca le haga pasar hambre a su cuerpo si quiere mejorar su metabolismo y adelgazar. La solución si todavía está sintiendo un poco de hambre entre las 3 comidas principales del día es hacer una merienda que sea alta en proteínas y baja en carbohidratos refinados.

Las meriendas que le harán adelgazar son meriendas de alimentos como almendras, nueces, queso, lascas de jamón o cualquier otro alimento cuyo contenido de carbohidratos sea reducido. Puede utilizar hasta el chicharrón de cerdo como merienda. Recuerde que el chicharrón tiene mucha grasa pero que su cuerpo no puede utilizar esa grasa a menos que produzca *insulina*. Si usted no consume carbohidratos refinados en su merienda no habrá mucha producción de *insulina* y su cuerpo no podrá utilizar la grasa de la merienda para engordarle.

Cuando la gente no sabe de esto cometen el error de hacer una merienda con algún bizcochito, tostada de pan, galletita u otro alimento alto en carbohidratos refinados. Esto mismo les causa una subida de glucosa y de *insulina* lo cual les ocasiona más hambre.

No, usted no necesita comer todo el día como las vacas o las gallinas. Usted no necesita "meriendas" si hace las cosas correctamente y entiende el funcionamiento de su cuerpo. Usted vivirá libre del hambre que persigue a las personas con un metabolismo lento.

CUANDO EL METABOLISMO SE ESTANCA

ESTE ES UN DATO VITAL

Por la misma razón de que su cuerpo está vivo y aprende es importante saber que si su metabolismo es realmente un "metabolismo lento" usted puede experimentar periodos de estancamiento en su ritmo de adelgazar. O sea, puede que no todas las semanas logre bajar de peso o reducir la grasa a un ritmo que le mantenga entusiasmado con los resultados.

Cuando el metabolismo es realmente un "metabolismo lento", la persona experimenta periodos de estancamiento donde parece ser que no importa lo que haga simplemente no logra adelgazar algunas semanas. Esto no es cierto en todos los casos y para todas las personas, pero pudiera ser cierto para usted. Si observa que no está adelgazando y no nota cambios positivos de reducción en su talla de ropa o cintura, aun después de controlar su consumo de carbohidratos refinados y de seguir las otras recomendaciones, este sería el caso con su cuerpo. O sea, como adelgazar por varias semanas corridas y de pronto encontrarse que se estancó el proceso y dejó de adelgazar. Es lo que llamamos un "estancamiento" del metabolismo.

Si su metabolismo se estanca, no se desanime, hay forma de desatorarlo. Para ello debe trabajar con mejorar la función de su glándula tiroides aumentando el consumo de los carbohidratos de tipo almidón (arroz, papa, tubérculos, plátano) en algunos momentos selectos de su semana. Los almidones son moléculas de azúcares simples las cuales el cuerpo convierte en glucosa muy rápidamente. Por eso mismo es que le engordan con mucha facilidad si usted abusa de su consumo. Cuando su metabolismo está "estancado" es debido a que su cuerpo está convencido de que existe una

209

"escasez" de glucosa y está tratando de "economizar". La solución es demostrarle a su cuerpo, un par de días en la semana, que no existe escasez. Es convencerlo de que debe subir el metabolismo.

Como la semana consta de 7 días y usted desayuna, almuerza y cena cada día, o sea que hace 3 comidas al día, usted termina haciendo 21 comidas cada semana. Si usted le provee a su cuerpo por lo menos 3 comidas a la semana que sean de alimentos que producen mucha glucosa usted le estará "educando" a la realidad de que no existe una escasez y que por lo tanto debe subir el ritmo del metabolismo. Esto usted lo logra causándole al cuerpo una subida de glucosa en por lo menos 3 de sus 21 comidas de la semana.

La idea es desatorar el metabolismo convenciendo al cuerpo de que suba el metabolismo demostrándole que no existe una escasez de alimentos. La forma en que esto se hace es utilizando mayor proporción de los almidones (arroz, papa, tubérculos, plátano).

En efecto, para desatorar un metabolismo estancado, lo que he visto que funciona es causar una subida considerable de la glucosa en la sangre para reactivar la glándula tiroides. Naturalmente, usted lo deberá hacer de forma consciente y nunca de forma rutinaria o habitual porque terminaría aumentando de peso si sostiene unos niveles altos de glucosa e *insulina* en su sangre. La idea es "despertar o reactivar la tiroides" sabiendo que el cuerpo tiene la habilidad de aprender y adaptarse a lo que está pasando.

El mismo Doctor Atkins, creador de la famosa dieta baja en carbohidratos que se puso de moda hace unos años, se había dado cuenta de esto. El metabolismo se puede estancar si el cuerpo siente que la glucosa está constantemente muy baja en la sangre porque lo interpreta como una situación de "escasez" de alimentos y se ve forzado a economizar. El Doctor Atkins manejaba este estancamiento recomendándoles a las personas cuyo proceso de adelgazar se había estancado que abandonaran la dieta baja en carbohidratos por una semana completa y que luego regresaran a la dieta. Yo he observado que con sólo 3 comidas altas en almidones a la semana se logra desatorar un metabolismo que está estancado.

Para desatorar un metabolismo estancado usted puede utilizar un régimen como el de la tabla de abajo donde 3 de sus comidas semanales, preferiblemente 3 de las cenas, serían bastante más altas en consumo de almidones. Para designar "bajo consumo de carbohidratos" en la tabla utilizamos las siglas "BCC".

Día	Desayuno	Almuerzo	Cena	Efecto
Lunes	BCC	BCC	BCC	Bajos niveles de glucosa e insulina
Martes	BCC	BCC	**5 Tostones**	**Subida de glucosa en la cena**
Miér-coles	BCC	BCC	BCC	Bajos niveles de glucosa e insulina
Jueves	BCC	BCC	**Papa majada**	**Subida de glucosa en la cena**
Viernes	BCC	BCC	BCC	Bajos niveles de glucosa e insulina
Sábado	BCC	BCC	**Arroz y habi-chuelas**	**Subida de glucosa en la cena**
Domin-go	BCC	BCC	BCC	Bajos niveles de glucosa e insulina

Para subir la glucosa y desatorar el metabolismo estancado no se le recomienda que aumente el consumo de pan o harinas de trigo. Esto es debido al hecho de que muchos de nosotros tenemos cuerpos que son "intolerantes" al trigo y por eso para muchas personas se hace necesario el eliminar totalmente el trigo (pan, pasta, galletitas, bizcocho, harina) para poder adelgazar.

Hay una razón por la cual se recomienda que su momento ideal de aumentar los almidones para subir la glucosa y "despertar" su metabolismo sea la cena y no el desayuno o el almuerzo. Los carbohidratos que son almidones causan una subida rápida de la glucosa y eso fuerza al cuerpo a producir *insulina*. La *insulina* causa hambre a las pocas horas (3-4 horas) de usted haber comido carbohidratos. Para evitar que a usted se le cree un hambre que le haga sufrir durante el día es mejor utilizar la cena para subir los carbohidratos de manera que la *insulina* empiece a tener un efecto de crear hambre mientras su cuerpo está dormido. De esa forma usted no tendrá que sufrir el efecto de la alta producción de *insulina* y no pasará ningún aumento de la sensación de hambre.

Los fisiculturistas [1], quienes tienen el propósito de desarrollar su musculatura al máximo haciendo levantamiento de pesas, han descubierto que la única dieta que les funciona es la dieta que es baja en carbohidratos y alta en proteínas. Pero también han descubierto que sin *insulina* no se pueden construir los músculos. Como el cuerpo sólo produce cantidad de *insulina* en respuesta al consumo de carbohidratos ellos han aprendido a hacer unas comidas altas en carbohidratos de 3 a 5 veces en la semana para garantizar que su cuerpo produzca suficiente *insulina*

---

[1] fisiculturista: persona que busca aumentar su musculatura a través de los ejercicios de levantamiento de pesas.

como para que sus músculos puedan crecer. O sea, permanecen en una dieta baja en carbohidratos y alta en proteínas excepto por 3 a 5 de las comidas de la semana donde hacen lo que llaman "*carbohydrate loading*" (cargado de carbohidratos) que no es otra cosa que un aumento en el consumo de los carbohidratos para impulsar la creación de más *insulina* que les permita construir más sus músculos.

Este mismo concepto es el que utilizamos para desatorar el metabolismo cuando está estancado. Con las 3 cenas semanales altas en almidones de carbohidratos le damos un mensaje claro a nuestro cuerpo de que puede empezar a "quemar" la glucosa que tiene porque no existe una situación de secas.

Si en algún momento se ve forzado por situaciones de compromisos sociales a utilizar una cena alta en carbohidratos no necesariamente eso le va a engordar por la misma razón. Entender cómo es que su cuerpo y su metabolismo funcionan le puede ayudar no sólo a desatorar su metabolismo estancado, sino también a evitar el "remordimiento" innecesario de haber "dañado la dieta".

Si en algún momento se excedió en su consumo de carbohidratos y siente que dañó su dieta 2x1© o 3x1© debe perdonarse a usted mismo. Piense que estuvo logrando que el metabolismo subiera convenciendo a su glándula tiroides de que no existe una escasez. No obstante, no lo use como una justificación para fallar en seguir su dieta 2x1© o 3x1© porque se obligaría a fracasar en su intento por subir el metabolismo y adelgazar.

Si su metabolismo se estanca utilice este sistema para desatorarlo pero si usted ha seguido adelgazando de peso semana tras semana no lo utilice si no lo estima necesario.

ACELERACIÓN AL MÁXIMO

A veces se hace necesario el bajar de peso a un ritmo acelerado. Puede ser una boda que se acerca, la reunión de los miembros de la clase graduanda u otras situaciones que nos ponen presión para adelgazar en corto tiempo.

Existe una forma de adelgazar muy rápido y de forma saludable. Los factores básicos son:

dieta 3x1© (bien pocos carbohidratos refinados)
batida de proteínas de whey como desayuno
aceite de coco orgánico con la batida
mucho consumo de agua
vitaminas potentes a diario
principalmente pescado como proteína
ensalada en todos los almuerzos y cenas
jugo de vegetales por las noches
eliminar: soya, trigo, maíz y carne de cerdo
ejercicio como caminar 3-4 veces por semana

Al desayuno se utiliza una batida de proteínas de whey la cual se prepara con aceite de coco orgánico. Esto sube el metabolismo muy eficientemente.

Durante la "aceleración" se utiliza una dieta 3x1 (bien poco carbohidratos refinados) cuya proteína principal debe ser pescado. El pescado es la proteína más baja en grasa saturada que existe y contiene elementos de vitaminas y minerales que son esenciales al funcionamiento de la tiroides (yodo, selenio, aceites omega 3). En la dieta de aceleración usted debe combinar su pescado con mucha ensalada y con vegetales. Puede usar pequeñas cantidades de carbohidratos refinados como arroz, tostones, papa y otros pero ningún producto de trigo (pan, pasta, empanado, harina).

Entre las comunidades de los pescadores no existe obesidad. No existe ninguna proteína más fácil de digerir ni más limpia que la carne de pescado. El pescado además contiene aceites naturales llamados "omega 3" que son aceites que "queman grasas" y reducen el colesterol.

Para lograr una aceleración máxima en la velocidad de adelgazar hace falta añadirle los jugos de vegetales de por la noche a la dieta diaria. Existen en el mercado máquinas de extraer jugos de frutas y vegetales que no son muy caras. Una máquina económica que se consigue en tiendas como *Macy's*, *Penney's* y otras es la de la marca *Jack Lalanne*.

La idea es usar jugos de vegetales, no frutas. Los vegetales son bajos en carbohidratos y proveen minerales y nutrientes que aceleran el metabolismo. En la máquina de extraer jugo se extrae una mezcla de jugos de zanahorias, pepinillos, rábanos (*"radish"*), apio (*"celery"*), espinaca con una pequeña cantidad de jengibre (*"ginger"*). La mezcla resultante de jugo de vegetales se puede usar como cena por la noche. La aceleración en pérdida de peso que producen los jugos de vegetales es notable. El cuerpo parece que se desinfla cuando usamos estos jugos.

Los jugos de vegetales son algo medio "milagroso". Para las personas que tienen alta presión estos jugos tienden a bajar la presión. Los jugos de vegetales frescos contienen grandes cantidades del mineral potasio el cual funciona como diurético y reduce la presión arterial. El potasio es el mineral que contrarresta la sal (sodio) en el cuerpo. O sea, cuando consumimos potasio el cuerpo orina la sal acumulada y eso baja la presión sanguínea.

Los jugos de vegetales se pueden utilizar como reemplazo de la cena de la noche. Son sabrosos y producen resultados realmente notables. La máquina extractora más común se consigue por menos de $100 y es una buena inversión para la salud y el metabolismo.

La dieta de "aceleración al máximo" es una técnica que funciona para cuando uno desea rebajar rápidamente sin comprometer la salud ni pasar hambre.

Si le gusta el pescado y quiere adelgazar bien rápido haga esta dieta de "aceleración al máximo" por una semana y verá los resultados. En mi caso, la utilizo para compensar el daño que me haya hecho con algunos "pecaditos" que haya cometido en el fin de semana.

ROMPIENDO EL VICIO

ESTE ES UN DATO VITAL

Como veíamos anteriormente, los carbohidratos refinados tienen el poder de causarnos una adicción. La adicción puede ser una liviana (la minoría de los casos) pero en algunos casos es una adicción muy fuerte (en la mayoría de los casos). Hay personas que están realmente "atrapadas" de esta adicción y simplemente no pueden pasar ni un solo día sin su "cura".

He visto casos de personas que tienen que usar todos los días *Coca-Cola®*, *Pepsi-Cola®*, *7-Up®*, chocolates, dulces, pan, arroz o alguno otro de los carbohidratos refinados. Simplemente los tienen que consumir o se sienten como que les falta algo. Estas personas están siendo rehenes de la adicción a los carbohidratos refinados. Si tratan de no consumirlos sienten mucha ansiedad y se les afecta negativamente su estado emocional.

Su usted a diario siente ansiedad o un fuerte "antojo" por algún alimento en especial dé por seguro que está experimentando una relación adictiva con ese alimento. En mi caso mi adicción era con el arroz. Yo consideraba que comer sin arroz era como no comer. Créame, lo que a mí me tenía en sobrepeso y con el metabolismo por el piso era el arroz. Hay otras personas cuya adicción es el pan, para otros los bizcochos, para algunos los dulces y para otros muchos, las bebidas carbonatadas azucaradas como la Coca-Cola®. Inclusive, hay algunos que no discriminan y su adicción es en general a todos los carbohidratos refinados sin importar que cosa sea.

219

Para liberarse de una de esas adicciones hace falta saber dos cosas:

1. Que debe retirarse de la adicción de forma GRADUAL.

2. Que pueden experimentar reacciones físicas desagradables. Los adictos a las drogas le llaman "síndrome de abstinencia" (*"withdrawal symptoms"*).

Si se siente que está experimentando una adicción con algún alimento lo primero es darse cuenta de ello. Lo segundo es establecer un plan para retirarse de la adicción. Este plan debe incluir el tener un día en el que todavía se puede consumir el alimento (arroz, pan, chocolates, lo que sea) pero en menor cantidad de lo usual. Este día "preparatorio", que es el día antes de retirarse del alimento o los alimentos que le causan la adicción, es vital. La idea es hacerlo de forma GRADUAL sin causar una crisis al cuerpo.

Desde el día "preparativo", o día antes de retirarse por completo de la adicción, se debe empezar a consumir grandes cantidades de agua. El agua hidrata al cuerpo y crea el ambiente para poder eliminar lo que el cuerpo quiera eliminar durante el proceso. Es vital aumentar el consumo de agua, al máximo posible.

El día de retirarse totalmente debe ser un día en el que se consuman solamente carnes (idealmente pollo, pavo o pescado), quesos (de cualquier clase) y huevos (fritos, hervidos, en tortilla o revueltos). Estos son los únicos 3 tipos de alimentos que se deberán comer durante ese día de retirada: carnes, quesos y huevos. Por ejemplo, una omelet de huevos con queso y salchichas de pollo sería algo adecuado. O sea, pura proteína.

Durante ese día de retirada lo que se busca es "romper el vicio" quitándole al cuerpo TODAS las fuentes de carbohidratos para que se rompa la relación adictiva.

Por eso, durante el día de retiro total de los carbohidratos no se consumen ninguna clase de carbohidratos. Eso quiere decir que, durante ese único día, no se consumirá ni ensalada, ni vegetales, ni jugos, ni azúcar en el café, ni leche, ni nada que contenga carbohidratos. Solamente carnes, quesos y huevos. Se puede consumir toda la cantidad que uno desee de estos tres alimentos, no se debe pasar ningún tipo de hambre. Las carnes pueden ser fritas en grasa, horneadas o de cualquier otra forma. Se pueden usar condimentos como ajo, orégano o cualquier otro. La forma de preparación de las carnes no importa, lo que necesitamos es "romper el vicio" y eso se logra retirándose totalmente de todos los carbohidratos por un día completo.

Durante el periodo de retirada el consumo de mucho agua será aun más vital. El cuerpo produce la hormona *cortisol* durante la retirada porque quitarle sus alimentos adictivos le causa cierto nivel de estrés. Al *cortisol* se le llama "la hormona del estrés". El periodo de retirada le causa estrés al cuerpo. El agua ayuda a remover esta hormona y a tranquilizar el sistema hormonal.

Si resulta que al usted hacer esto experimenta unas reacciones de migraña, dolor de cabeza, picores en la piel, flujo vaginal, diarrea o dolores musculares lo que está pasando es que su cuerpo está severamente infectado del hongo *candida albicans* (véase tema de CANDIDA ALBICANS, LA EPIDEMIA SILENCIOSA).

Cuando el cuerpo está excesivamente infectado de este hongo, como pasa con muchas de las personas que tienen sobrepeso, la reacción a la retirada de los carbohidratos puede ser muy desagradable. Resulta que la colonia del hongo *candida*, si la infección es grande, puede ser de varios millones de organismos. Este hongo depende totalmente de los carbohidratos para su sustento. Sin carbohidratos el hongo no tiene cómo sobrevivir. Por eso mismo cuando existe una fuerte infección del hongo *candida* y se retiran todos los carbohidratos de la dieta el hongo se queda sin su alimento y empieza a morirse y pudrirse dentro del cuerpo por la falta de alimento. Cuando este hongo se pudre el cuerpo se llena de ácidos y tóxicos que desprenden los hongos y se producen todas esas manifestaciones desagradables como migraña, dolor de cabeza, dolores musculares y todas las otras. Generalmente estas manifestaciones no duran más de un día pero debo decir que pueden ser bastante desagradables.

Dentro del sistema Natural Slim™ llevamos casi 10 años ayudando a miles de personas a romper su adicción con los carbohidratos. Usamos un programa de DETOX NATURAL™ que contiene unos suplementos naturales que reducen dramáticamente las manifestaciones del síndrome de retirada. También en Natural Slim™ usamos programas especiales naturales para limpiar el cuerpo del hongo *candida albicans* de manera que el metabolismo se pueda acelerar.

Mi propósito en explicar la existencia de estas adicciones es no dejarle con un cuadro incompleto de información. La escena ideal sería que una persona que se siente "adicta" a algún alimento o grupo de alimentos pudiera recibir la atención personalizada de un sistema como Natural Slim™. Esto no siempre es posible por razones de distancia u otras. No obstante, usted debe saber que estas adicciones son un factor por el cual mucha gente empieza su dieta todos los lunes y ya para el día miércoles la han abandonado y están "en las mismas de siempre".

CÓMO "HACER TRAMPA" DE FORMA INTELIGENTE

Para tener éxito en el propósito de subir el metabolismo y adelgazar hace falta conocer cuáles son los factores que reducen o aceleran el metabolismo. De eso es de lo que hemos venido hablando.

No obstante, a veces nos encontramos en situaciones sociales (fiestas, celebraciones familiares, cumpleaños, etc.) donde simplemente se hace imposible o impráctico el utilizar una dieta 2x1© o 3x1© (véase tema UNA DIETA CON LA QUE SE PUEDE VIVIR).

Bueno, no se preocupe. Si se ve forzado a romper su dieta 2x1© o 3x1© lo que es importante es que sepa cómo hacerlo de forma inteligente. La idea es causar el menos daño posible a su metabolismo y a su propósito de adelgazar. Existe una forma de "hacer trampa" de forma inteligente".

Digamos que usted se encuentra de repente en una fiesta de cumpleaños que le hicieron de forma sorpresiva a su mejor amiga. Hay una forma en la que puede comer de todo lo que haya en la fiesta pero sabiendo cómo hacerlo. Es cuestión de evitar un daño mayor a los logros que ya ha obtenido aplicando lo que ha aprendido.

Para poder comer de todo lo que haya en la fiesta sin causar un daño mayor usted deberá primero saber cómo reacciona su cuerpo a los alimentos altos en carbohidratos. Cuando ingiere alimentos altos en carbohidratos refinados (bizcocho, galletitas, etc.) su cuerpo responde produciendo una cierta cantidad de la hormona *insulina*. El propósito de la *insulina* es lograr reducir los niveles de glucosa que usted habrá creado en su sangre al consumir carbohidratos refinados. La secuencia es algo así:

Aumento en consumo de **carbohidratos** refinados	⇨	Aumento de la **glucosa** en la sangre	⇨	Producción de **insulina** para reducir la glucosa

Los doctores Rachael Heller y Richard Heller son una pareja de doctores que escribieron un libro titulado "*The Carbohydrate Addicts Diet*". Ellos explican su descubrimiento sobre como usted puede romper la dieta sin causar mucho daño a su propósito de adelgazar.

El descubrimiento de los doctores Heller es que su cuerpo aprende de cada una de las comidas que usted hace. Por ejemplo, si tiene un desayuno fuerte en carbohidratos el cuerpo tendrá que producir suficiente *insulina* para manejar la glucosa que se crea de los carbohidratos. Para su próxima comida, el almuerzo, su cuerpo estará esperando un consumo alto en carbohidratos y estará listo para una alta producción de *insulina*. O sea, el cuerpo está vivo y aprende como a "predecir" lo próximo que usted va a consumir. Si por el contrario su desayuno es bajo en carbohidratos su cuerpo tendrá que producir muy poca *insulina* y estará esperando que su almuerzo también sea bajo en carbohidratos. El cuerpo aprende y es usted quién le enseña.

Lo otro que descubrieron los doctores Heller es que cuando usted consume carbohidratos el cuerpo siempre hace un primer disparo de *insulina* el cual está condicionado a lo que comió en su comida anterior. Si comió pocos carbohidratos en su comida anterior el disparo inicial de *insulina* de su cuerpo será pequeño porque él, su cuerpo, ya aprendió que usted está consumiendo pocos carbohidratos.

Ahora, los doctores Heller también descubrieron que al pasar aproximadamente 1 hora desde que usted empezó a comer, el cuerpo hace una nueva revisión para ver cuántos carbohidratos siguen ingiriéndose y ver si se necesita más *insulina*. Si el cuerpo siente que se continúan ingiriendo más carbohidratos 1 hora después, entonces hará un segundo disparo de *insulina* para poder manejar la glucosa adicional que se acumulará.

Si usted recuerda bien lo que nos engorda es la acción de la hormona *insulina*. Mientras menos *insulina* produzca el cuerpo más fácil se nos hará adelgazar. Mientras más *insulina* produzca más engordaremos. Sin *insulina* es imposible engordar. La forma de adelgazar es lograr reducir la producción de *insulina* que hace el cuerpo en respuesta a los carbohidratos.

Entonces, sabiendo estos datos de cómo funciona su cuerpo en respuesta a lo que usted ingiere, los doctores Heller nos enseñan una forma de "hacer trampa" de forma inteligente.

Si va a romper la dieta y "hacer trampa" la clave es que siga estas 2 reglas:

1. Nunca consuma exceso de carbohidratos refinados si su comida anterior también fue alta en carbohidratos. Su cuerpo le estará esperando con un disparo de *insulina* grande lo cual le hará engordar.

2. Si va a consumir una cantidad más grande de carbohidratos refinados asegúrese de no tardar más de 1 hora en terminar su comida. Si pasa más de 1 hora

desde que usted empezó a comer carbohidratos su cuerpo producirá un segundo disparo de *insulina* que de seguro le engordará.

Estas son las 2 reglas que hay que seguir para poder "hacer trampa" de forma inteligente. Si las sigue podrá periódicamente, y cuando sea necesario, comer los carbohidratos que le requiera la ocasión sin perder todo lo que haya logrado con sus esfuerzos anteriores.

Personalmente, si sé que voy para una fiesta por la noche trato de portarme muy bien durante todo el día (desayuno y almuerzo) de forma de que en la fiesta pueda darme el "gustazo" sabiendo que no voy a engordar. Naturalmente, el "gustazo" no puede tardar más de 1 hora en empezar y terminarse. Por lo tanto, cuando voy a comer, como. O sea, no me pongo a pasar el tiempo con los aperitivos porque sé que el tiempo ya está contando desde que empiezo a ingerir el primer bocado.

No hay que sentir remordimiento alguno si uno sabe lo que está haciendo. Haga "trampa" de vez en cuando pero hágalo de forma inteligente.

LA VERDAD SOBRE EL COLESTEROL

Después de usted haber leído hasta aquí es posible que esté pensando que hay algo erróneo en todo esto porque no le estoy pidiendo que reduzca las grasas y el colesterol. Inclusive le hablé de consumir mantequilla que tiene colesterol y de eliminar de su dieta la margarina que no tiene colesterol. Puede sonar como ideas medio raras. No obstante, usted también puede entender este tema del colesterol al punto que no sea jamás una preocupación para usted. Generalmente lo que más problema nos causa en la vida son aquellas cosas que no entendemos completamente.

Estoy consciente de que por más de 20 años los medios noticiosos nos han bombardeado con los peligros del colesterol. Los medios noticiosos se distinguen por el trato sensacionalista que le dan a las noticias. Por esto mismo los medios noticiosos no necesariamente son una buena fuente de información correcta sobre los temas de salud. Por otro lado, detrás de muchas de las noticias de salud bien pudiera estar la mano oculta de las compañías farmacéuticas. Las farmacéuticas se benefician de causarnos suficiente miedo como para que actuemos sobre alguna noticia y acudamos a los médicos para que se nos dé una receta para sus medicamentos.

Usted seguramente tiene la capacidad de entender este tema y dejar de preocuparse por algo que puede controlar sin mayor problema, el colesterol.

El colesterol es una sustancia natural que produce el cuerpo que es esencial a la salud y a la vida. Todas las células del cuerpo, excepto las de los huesos, contienen colesterol. El colesterol podría decirse que es una materia prima de construcción de las células del cuerpo. Sin colesterol no se pueden construir células.

La sustancia llamada "colesterol" se parece más a un tipo de cera que a una grasa. Es una sustancia que el cuerpo utiliza para construir nuestras hormonas sexuales. Por ejemplo, si usted es mujer eso se debe al hecho de que su cuerpo produce mucha de la hormona estrógeno y poca de la hormona masculina testosterona. Si usted es hombre el contrario es entonces cierto. Los hombres tienen mucha testosterona (hormona masculina) y poquito estrógeno (hormona femenina). Estas hormonas, estrógeno y testosterona, el cuerpo las fabrica utilizando el colesterol como materia de construcción. Sin el colesterol no existirían diferencias sexuales entre nosotros. Es así de importante el colesterol.

En el inicio de la campaña para "educarnos" sobre el colesterol se nos decía que el colesterol era todo "malo". Hace unos años se descubrió que existen 2 tipos básicos de colesterol. Colesterol "malo" y colesterol "bueno". Al colesterol que se le llama "malo" es el colesterol LDL ("*Low Density Lipoprotein*"). Este colesterol "malo", el LDL, es un colesterol de "baja densidad", o sea, es blandito. Como es blandito es también "pegajoso" y se oxida (se pudre) con facilidad. Calcule que la consistencia de este colesterol "malo", LDL, es como la de una goma de mascar (*Chiclet*®). El problema es que se pega de las arterias y se oxida creando otras sustancias tóxicas al cuerpo.

Por otro lado, está el colesterol HDL ("*High Density Lipoprotein*") al que llaman el colesterol "bueno". Este otro tipo de colesterol es duro, no se oxida y no se pega. De hecho, es este colesterol "bueno", el HDL, el que saca del cuerpo al colesterol "malo", LDL. Considere que el colesterol "bueno", HDL, tiene la consistencia dura de una bola de billar.

Hay otros tipos de colesterol como el VLDL pero para efectos de lo que nosotros debemos saber para mantener la salud con conocer sólo estos dos tipos, LDL el "malo" y HDL el "bueno", nos basta.

La industria farmacéutica ha convertido a los medicamentos para controlar el colesterol en su "mina de oro". Las estadísticas son claras, las condiciones diagnosticadas de "alto colesterol" aumentan cada año que pasa. Cada año que pasa hay más gente con "alto colesterol" y más gente tomando medicamentos para controlarlo. Ahora, inclusive, hay muchos más casos de niños y adolescentes con "alto colesterol".

Todo esto está pasando mientras cada año que pasa la gente consume menos y menos alimentos que contienen colesterol. O sea, hoy en día los supermercados y tiendas de alimentos están llenos de productos sin colesterol. Cuando un alimento es "sin colesterol" lo anuncia de forma prominente en su etiqueta porque los fabricantes saben que el público le tiene terror al colesterol y hacerlo aumenta sus ventas. Los productos "sin colesterol" también se anuncian frecuentemente en televisión.

Ya la mantequilla casi no se consume en comparación a la margarina. Esto pasó debido a que la margarina se nos vendió como una alternativa "sin colesterol" ya que la mantequilla de vaca sí contiene colesterol.

Lo mismo pasó con los huevos. El consumo de huevos en Estados Unidos se redujo en más de 40% en los últimos 30 años. Esto debido nuevamente a la campaña masiva en contra del colesterol. De ahí también nacieron nuevas industrias millonarias y productos "sin colesterol" como los sustitutos de huevos *"Egg-Beaters®"*. El huevo contiene colesterol, por lo tanto debíamos eliminarlo o reducirlo a su mínimo según la publicidad.

Todo esto también trajo la proliferación de los aceites poliinsaturados como los aceites de maíz, vegetal y girasol que cogieron fuerza debido a que son "sin colesterol".

Hemos cambiado mantequilla por margarina, grasa de cerdo como se usaba antiguamente para freír por aceite de maíz y huevos por imitaciones de huevo – todo esto para cambiarnos a los productos "sin colesterol". ¡Sin embargo, cada vez tenemos más gente con alto colesterol! Más gente con arterias tapadas de colesterol y más gente joven con ataques prematuros al corazón. O sea, comemos mucho menos colesterol que antes y sin embargo tenemos más colesterol corriendo por nuestra sangre. ¡Esto no hace lógica! Es como decir que mientras menos dinero deposito en mi cuenta de banco más dinero se me acumula en ella. ¿Cómo vamos a tener más si consumimos menos?

Bueno, hay una explicación. No estamos volviéndonos "locos" todavía. La realidad es esta: ¡EL COLESTEROL AUMENTA SIEMPRE QUE AUMENTAMOS NUESTRO CONSUMO DE CARBOHIDRATOS REFINADOS!

Si usted no consume un exceso de carbohidratos refinados es IMPOSIBLE que tenga unos niveles de colesterol "malo" demasiado altos. La única excepción a esto es que padezca una condición no detectada de hipotiroidismo (tiroides vaga). Siempre que la tiroides está deficiente sube el colesterol (véase tema PROBLEMAS CON EL SISTEMA DE LA GLÁNDULA TIROIDES).

O sea, "alto colesterol" es igual a "exceso de carbohidratos refinados" o hipotiroidismo. Últimamente le han estado echando la culpa al "factor hereditario" pero la realidad es que nunca lo han probado científicamente.

Las mismas causas que están poniendo a nuestra población en sobrepeso y obesidad son las mismas causas del "alto colesterol". Si no lo cree vaya a su médico y hágase una prueba de colesterol. Luego, empiece la dieta 2x1© o 3x1© y vea usted mismo(a) como su colesterol bajará a normal en 30 a 60 días. He visto miles de personas que estaban sobrepeso porque estaban adictos a los carbohidratos. Tan pronto empezaron a adelgazar controlando su consumo de carbohidratos refinados su colesterol, en TODOS los casos, llegó a "normal". Esto es así aunque en el proceso estuvieron comiendo mantequilla con colesterol, huevos con colesterol y carne con colesterol.

El cuerpo humano tiene un mecanismo sofisticado de controlar los niveles de colesterol. Cuando usted consume una carne de cerdo que es alta en colesterol su cuerpo lo detecta y le da órdenes al hígado de que produzca menos colesterol. Si evita el colesterol en todas sus comidas el cuerpo le dará órdenes a su hígado de que produzca más colesterol para compensar el colesterol que usted no le da a su cuerpo. El colesterol es indispensable para el cuerpo y si usted no se lo da su cuerpo habrá de fabricarlo a como dé lugar.

Ahora, decíamos que el colesterol es "materia de construcción". Es como el cemento que se utiliza para construir las casas. El colesterol es el "cemento" que utiliza el cuerpo para construir las paredes de sus células. Por eso mismo, cuando usted está engordando por el consumo excesivo de los carbohidratos refinados y la alta producción de *insulina* también le va a subir el colesterol. Para poder construir nuevas células de grasa el cuerpo necesita mucho nuevo colesterol. Es por eso que mientras usted esté poco a poco engordando, el colesterol seguirá subiendo y subiendo en su disponibilidad dentro del cuerpo.

A todas las personas que hacen una dieta de control de carbohidratos refinados como la dieta 2x1© o 3x1© les baja el colesterol "malo", LDL, mientras les sube el colesterol "bueno", HDL.

El colesterol es "materia de construcción" no sólo para construir nuevas células sino también para reparar las células dañadas. O sea, el cuerpo lo usa para tapar defectos o rotos en áreas donde hay células dañadas. Es por esto que a las personas con cáncer les sube el colesterol. El cáncer causa mucha destrucción celular y el cuerpo produce bastante más colesterol de lo usual para poder "reparar" las células que el cáncer ha estado destruyendo.

Si se disfruta un almuerzo de carne de cerdo frita no se preocupe por el colesterol. Sólo cuídese de no acompañar su carne frita con otro alimento alto en carbohidratos como un plátano majado (mofongo†) sobre todo si usted ha venido padeciendo de una condición de "alto colesterol". Lo que le sube el colesterol es los carbohidratos refinados. La ensalada y los vegetales que son carbohidratos naturales le bajan el colesterol. En principio todo lo que suba la producción de *insulina* en el cuerpo le subirá los niveles de colesterol. Si controla los carbohidratos refinados ello reduce la producción de *insulina* y también del colesterol.

Puede que su médico le haya dicho exactamente lo contrario de lo que yo, que no soy médico, le estoy diciendo. Usted mismo(a) puede observar los resultados de los análisis de laboratorio que se haga después de un tiempo en una Dieta 2x1© o 3x1©. ¡Se va a sorprender!

Personalmente he ayudado a docenas de médicos que estaban sobrepeso y con "alto colesterol" a llevar su colesterol a un nivel normal. Eso fue fácil. Lo que fue difícil fue quitarles el exceso de los carbohidratos refinados para que lo pudieran lograr.

No puedo culpar a los médicos por su desconocimiento sobre las causas del "alto colesterol". Pensar que una persona tiene una condición de "alto colesterol" debido a que consume muchos alimentos con colesterol es algo que suena lógico pero no es verdad. En general los médicos estudian menos de 12 horas de nutrición y ciertamente el metabolismo como estudio científico no es uno de los temas de las escuelas de medicina. Súmele a esto la propaganda masiva que los médicos reciben de las compañías farmacéuticas a través de los propagandistas médicos. Verá usted que la información que ellos reciben ha sido creada para que se vendan los medicamentos, no para eliminar las causas del "alto colesterol". Estas ideas simples, pero efectivas, de reducir el exceso de carbohidratos refinados para eliminar la CAUSA del "alto colesterol" nunca van a llegar a ser populares con las farmacéuticas. Pero, son la verdad.

Sobre los huevos lo que usted debe saber es que son una proteína perfecta. Los huevos no contienen colesterol "malo", LDL, que es el que se pega en las arterias. Los huevos sólo contienen colesterol "bueno", HDL. Comer huevos todos los días sólo le pueda reducir el colesterol "malo". Esta información salió publicada en la revista Times de julio de 1999. Me puse a investigarla, lo probé con miles de miembros Natural Slim™ y observé que definitivamente es verdad. Comer huevos a diario le reduce el colesterol "malo". Naturalmente, no se le ocurra comerse los huevos acompañados de una gran porción de pan porque verá su colesterol "malo" subir.

Hace poco la Escuela de Medicina de la Universidad de California en un estudio que hizo alimentó a 1,934 hombres y mujeres con una dieta que contenía desde ninguno hasta 14 huevos semanales. Aunque cada huevo contiene unos 250 miligramos de colesterol los investigadores se sorprendieron de no encontrar ningún aumento significativo en el colesterol de los participantes del estudio. Ha habido otros estudios que confirman esto. No obstante, los medios noticiosos no han difundido estas noticias para que el público deje de evitar los huevos como alimento. Este tipo de noticia positiva que no contiene sensacionalismo, ni tragedia, ni peligros, simplemente no es de interés para los medios noticiosos.

Cuando usted empieza una dieta 2x1© o 3x1© puede notar que sus análisis de colesterol total suben un poco. No se asuste, es natural que el colesterol total suba un poco porque al hacer esta dieta empezará a adelgazar. Al adelgazar se rompe una buena cantidad de células de grasa y ellas liberan su contenido de colesterol en la sangre. El colesterol que usted podría ver subir es precisamente el colesterol que se está yendo de su cuerpo. Dele un tiempito y verá que seguirá bajando con cada nuevo análisis de laboratorio que se haga.

Aunque estamos hablando del colesterol es importante que sepa que la sustancia más peligrosa para su corazón no es el colesterol, son los triglicéridos[†]. Casi toda la publicidad se le ha dado al colesterol porque para reducirlo existe una variedad de medicamentos y ello crea un mercado potencial muy grande. Sin embargo, lo que debe evitar es tener los triglicéridos altos porque eso sí es peligroso. Los triglicéridos altos significa que hay demasiada grasa flotando en su sangre. Existe una relación más probable entre los altos triglicéridos y los problemas cardiacos que la relación que existe entre el alto colesterol y los problemas del corazón.

Por suerte, nada baja más rápido a sus niveles normales que los triglicéridos cuando usted reduce los carbohidratos refinados. Una dieta 2x1© o 3x1© le llevará sus triglicéridos a normal en muy poco tiempo.

El colesterol nunca debe ser un problema para usted si entiende lo que causa que se convierta en un "alto colesterol". Tome control de lo que ingiere y reduzca su consumo de carbohidratos refinado. Haciéndolo tendrá usted control tanto del colesterol como de los triglicéridos.

AYUDAS NATURALES PARA EL METABOLISMO

DESCUBRIMIENTOS DE SUSTANCIAS NATURALES

Se han descubierto varias sustancias naturales que ayudan a mejorar o a recuperar el metabolismo. Son sustancias extraídas de los alimentos, hierbas o plantas que tienen un efecto positivo sobre la energía del cuerpo y ayudan a combatir el "metabolismo lento".

Los descubrimientos científicos sobre algunas de estas sustancias naturales son relativamente nuevos. Este es el caso de las sustancias naturales llamadas "adaptógenos[†]" cuyo descubrimiento se originó en Rusia.

Otras son sustancias naturales que se han conocido por cientos de años como el magnesio, el cinc o el selenio, pero sobre las cuales se han hecho descubrimientos recientes que comprueban su importante contribución para lograr un metabolismo óptimo.

Sepa que los medicamentos que se han desarrollado para adelgazar son en realidad químicos que buscan bloquear la grasa o acelerar el metabolismo pero lo hacen de una forma que no es natural al cuerpo. Por eso, los medicamentos siempre traen consigo algún efecto secundario indeseable. Son químicos que no pertenecen en el cuerpo.

Por el contrario, los suplementos formulados a base de sustancias naturales trabajan a favor del cuerpo y son aceptados por las células sin causar efectos secundarios. Por eso, siempre recomiendo el uso de suplementos naturales en vez de medicamentos.

EL SECRETO RUSO DE
LOS ADAPTÓGENOS

En los años de 1947 a 1991, durante la época de la llamada "guerra fría", entre los Estados Unidos y Rusia existía un ambiente muy hostil y competitivo. Estas dos poderosas naciones del mundo competían en todos los niveles por ganar aliados a sus respectivas ideologías.

En aquella época los rusos trataban de demostrarle al resto del mundo que sus tecnologías, poder militar, capacidades físicas y deportivas eran las mejores. Ambas naciones competían en una carrera de lanzamientos espaciales y de tecnología nuclear.

En el ámbito de los deportes y de las competencias internacionales de atletismo los rusos y sus aliados se destacaban como atletas y deportistas. En especial los rusos demostraban tener una gran fuerza y una resistencia física sin igual. En los eventos olímpicos los atletas rusos siempre terminaban entre las primeras posiciones.

Parte de estos méritos atléticos de los rusos se debía al uso de los llamados "adaptógenos[†]". El término "adaptógeno" fue creado por los rusos para describir un grupo de sustancias naturales que tienen unas propiedades muy especiales. Son sustancias que ayudan al cuerpo humano a adaptarse a condiciones de estrés interno o externo. Son sustancias que logran que el cuerpo pueda resistir situaciones de estrés que normalmente afectarían el funcionamiento de forma negativa.

Los adaptógenos no se parecen en nada a las sustancias estimulantes como la cafeína, guaraná o efedrina. Los adaptógenos son sustancias que ayudan al cuerpo a lograr un balance óptimo de las energías internas. Por ejemplo, una sustancia natural como la de los adaptógenos tiende a bajar la presión arterial si resulta que la persona padece de presión alta. Pero, este mismo adaptógeno también tiene el efecto de subir la presión arterial en una persona que padece de baja presión arterial. O sea, los adaptógenos "adaptan" al cuerpo y contribuyen a obtener un estado más equilibrado de funcionamiento celular.

Hay sustancias naturales que reducen la presión arterial como decir el ajo. Hay también sustancias que suben la presión como la cafeína o la sal. Sin embargo, los adaptógenos tienden a estabilizar la presión arterial y las otras funciones del cuerpo. Se dice que los adaptógenos son "bidireccionales" porque trabajan en ambas direcciones contrarías según sea la necesidad. Como decir que aceleran los sistemas del cuerpo que están muy lentos (por ejemplo el metabolismo) mientras desaceleran y tranquilizan los estados de estrés emocional que han demostrado ser productores de obesidad.

Los adaptógenos son sustancias naturales que regulan la química interna del cuerpo en la dirección que sea necesaria para lograr un equilibrio. Aumentan la resistencia del cuerpo a cualquier situación estresante (sobrepeso, debilidad física, cansancio, estrés emocional, etc.). Dan la impresión de ser sustancias "inteligentes" que logran lo mismo aumentar que reducir lo que sea necesario en el cuerpo como para lograr un mejor nivel de adaptación y un equilibrio físico, mental y emocional.

Por muchos años los rusos condujeron estudios científicos secretos sobre los adaptógenos con la idea de obtener ventaja para sus soldados, atletas y cosmonautas. Hicieron extensos estudios con sus poblaciones para determinar las propiedades y los efectos de los adaptógenos. Estos estudios eran secretos del estado ruso y solamente trabajaban en ellos sus científicos contratados. Los atletas y los cosmonautas rusos usaban, de forma secreta, adaptógenos para obtener mayor resistencia, aumentos en la fuerza física, mejor concentración mental, mejor coordinación de reflejos y tiempos de reacción.

El 25 de diciembre de 1991 se disolvió la Unión Soviética y cayó el régimen comunista que había dominado a Rusia por tantas generaciones. Desde ese día los científicos que habían trabajado en secreto con los adaptógenos quedaron sin trabajo. Muchos de ellos emigraron hacia Europa y Estados Unidos y con ellos nos llegó la información sobre la existencia de estas maravillosas sustancias naturales.

Existen en nuestro planeta más de 3,700 hierbas naturales que han sido clasificadas con sus propiedades. Sin embargo solamente 11 de ellas son consideradas "adaptógenos". Para que alguna clase de hierba o planta natural sea considerada como adaptógeno debe tener la característica especial de poder trabajar en dos direcciones opuestas según le sea necesario al cuerpo. O sea, debe tener la característica de ser bidireccional en su funcionamiento. Sólo 11 de las hierbas o plantas del planeta cumplen con este requisito.

Los adaptógenos que nos interesan para efectos de mejorar el metabolismo son aquellos cuyas propiedades contribuyen a quemar grasa, controlar el estrés, reducir la inflamación, aumentar la energía y la resistencia física, los tienen efectos como antidepresivos naturales y los que mejoran el sistema inmune del cuerpo. Algunos de ellos son *rhodiola rosea*, *rhododendron caucasicum*, *rhaponticum carthamoides* y *ashwagandha*. Son nombres extraños de origen botánico.

Las propiedades de estos adaptógenos naturales son realmente impresionantes. Cuando se utilizan en combinación con una dieta como la 2x1© o 3x1©, y con otros buenos hábitos como el de tener un alto consumo de agua para mejorar la hidratación, el aumento que se produce en el metabolismo y en la energía del cuerpo es significativo. Los resultados los verá usted reflejados en los niveles de energía de su cuerpo y en su ropa que cada vez le quedará más holgada.

DOCTOR ZAKIR RAMAZANOV

Informarnos y aprender sobre los descubrimientos de los rusos en relación los adaptógenos no se nos hubiera hecho posible sin la participación destacada del Doctor Zakir Ramazanov.

El Doctor Ramazanov fue de los investigadores científicos principales que participaron en los estudios secretos rusos sobre los adaptógenos. A través del Doctor Ramazanov fue que pudimos informarnos sobre las propiedades de estas maravillosas sustancias naturales, los adaptógenos.

El Doctor Zakir Ramazanov, fue un profesor ruso en bioquímica de las plantas y biología molecular. Él había estudiado a fondo las propiedades de distintos extractos de plantas, hierbas y algas. El Doctor Ramazanov escribió y publicó cientos de artículos científicos y varios libros sobre los temas de los adaptógenos y las algas. Zakir Ramazanov tenía varias patentes aprobadas en el campo de la biotecnología, en la bioquímica de las plantas, en la biología molecular y en varios compuestos activos de las plantas. El Dr. Ramazanov fue profesor en el *Technological Institute,* en la Universidad de Madrid en España, en *Louisiana State University* (E.U.A.) y como Científico Senior de la Academia Rusa de las Ciencias.

Sus logros incluyen el haber sido reconocido por su trabajo en el área de la cultivación de organismos naturales en la estación rusa espacial MIR.

El Doctor Ramazanov es coautor de varios libros como los siguientes:

ARCTIC ROOT "Rhodiola Rosea, The Powerful New Ginseng Alternative" (1998)

"Effective Natural Stress & Weight Management using Rhodiola Rosea and Rhododendron Caucasicum" (1999)

"Rhodiola Rosea for Chronic Stress Disorder" (2002)

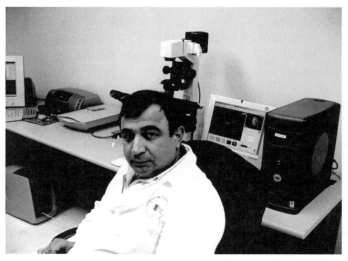

DR. ZAKIR RAMAZANOV

El Doctor Ramazanov desarrolló novedosos sistemas de cultivo de hierbas adaptógenas en ambientes orgánicos con climas controlados. Esto ha logrado un mayor rendimiento de los extractos activos de estas maravillosas hierbas, los adaptógenos, para beneficio de la humanidad.

Zakir Ramazanov fue un investigador que estaba totalmente enfocado en el descubrimiento y el estudio científico de las sustancias naturales que tienen la capacidad de mejorar nuestra salud, nuestra energía y nuestro estado emocional. Para mí fue un privilegio y un honor el haber contado con su experto asesoramiento en las áreas de la utilización de los adaptógenos para mejorar el metabolismo humano. Sus recomendaciones sobre los requisitos de las calidades y sobre las dosis correctas a usar de los distintos adaptógenos fueron muy valiosas. Zakir siempre respaldaba sus opiniones con copias de los estudios científicos que comprobaban la eficacia de las sustancias.

El uso de los adaptógenos ha traído a la ciencia del metabolismo humano una nueva esperanza de salud y metabolismo mejorado.

A finales del año 2006 el doctor Zakir Ramazanov murió sorpresivamente en las Islas Canarias, España, donde hacía investigaciones con las algas marinas. Zakir había sobrevivido hasta la guerra con agentes químicos en Afghanistan cuando estuvo allí estacionado con el ejército ruso. Había visitado los lugares más remotos del planeta para localizar plantas curativas. Zakir era una verdadera enciclopedia de conocimientos científicos y tenía un carácter muy jovial, siempre estaba contento.

Su ultima formulación, con el uso de los adaptógenos rusos, fue el producto Relax Slim™ que para muchas personas ha resultado ser casi "milagroso". Este es un suplemento natural que utiliza los adaptógenos para ayudar a mejorar el metabolismo de las personas con "metabolismo lento", diabetes o hipotiroidismo. Es un suplemento que inclusive ayuda a las personas a adelgazar mientras controlan el estrés y por eso se llama Relax Slim™.

El doctor Zakir Ramazanov ya no está con nosotros pero nos dejó un legado eterno: sus descubrimientos sobre las sustancias naturales que mejoran el metabolismo y la salud. Sus estudios, investigaciones y conocimientos sobre los adaptógenos y otras plantas naturales estarán con nosotros para siempre.

ADAPTÓGENO: RHODIOLA ROSEA

Todos los adaptógenos son sustancias naturales de propiedades realmente únicas. No obstante, uno de los adaptógenos más estudiado y que más prominencia ha tenido en los medios noticiosos ha sido la hierba llamada *rhodiola rosea*. Hace unos años, salió en la portada de la revista Time que la exaltaba como "el antidepresivo natural del futuro".

Esta planta crece en altitudes de entre 11,000 y 18,000 pies sobre el nivel del mar. Sus flores amarillas tienen un olor similar al de las rosas y de ahí se deriva el nombre "rosea". Es un tipo de planta que crece en sitios inhóspitos (donde la vida no es fácil) y quizá por esto desarrolla compuestos naturales poseedores de propiedades que aumentan la energía celular que facilita la capacidad para sobrevivir.

Rhodiola es una planta medicinal extraordinaria. Era una de las plantas consideradas "secreto militar" de los rusos durante el régimen soviético. Ha sido objeto de estudios extensivos sobre sus propiedades.

El adaptógeno *rhodiola* tiene una historia milenaria que incluye expediciones que ordenaban los emperadores de China para ir a buscar lo que llamaban "raíz dorada" o "raíz ártica" que los chinos consideraban una fuente de bienestar y de un alto desempeño sexual. El uso de esta planta está documentado en los más antiguos textos de medicina china donde se utilizaba para combatir todo tipo de enfermedades.

En el año 1947 el científico ruso Lasarev, de la Academia de Ciencias de Rusia, reportó por primera vez, que los extractos de esta planta de la región de la Siberia ayudaban a aumentar la resistencia del cuerpo a distintos factores estresantes del medioambiente.

Los estudios rusos sobre *rhodiola rosea* demostraron que posee un alto nivel de actividad terapéutica (curativa). Por otro lado, *rhodiola* no demostró tener efectos tóxicos ni efectos secundarios adversos aún en dosis altas. Sin embargo, demostró que aumenta la resistencia del cuerpo a varias enfermedades, a los estados estresantes, y a la depresión emocional.

Existen más de 200 variedades del género *rhodiola* del cual la variedad llamada *"rhodiola rosea"* es la única que posee propiedades especiales como adaptógeno. Los agentes activos de la *rhodiola rosea* se identificaron como *rosavin, rosin, rosarin y salidroside*. La rhodiola rosea genuina contiene potencias comprobables de estos compuestos naturales que son los que le dan sus propiedades.

Los efectos principales que nos interesan sobre la *rhodiola rosea* son sus propiedades comprobadas para combatir la obesidad y la depresión. Estas son propiedades que se han comprobado en varios estudios poblacionales que hicieron los investigadores rusos.

Varios psiquiatras americanos han empezado a utilizar los extractos de *rhodiola* rosea para tratar a sus pacientes de depresión. La ventaja principal que han visto los psiquiatras en el uso de este adaptógeno es que la *rhodiola* rosea controla la depresión mientras ayuda a la persona a evitar el aumento de peso que producen los medicamentos antidepresivos. De hecho, la *rhodiola* ayuda a las personas a adelgazar mientras controla los estados de severo estrés.

Por ejemplo, en un estudio controlado que se llevó acabo en el Hospital del Estado de la República de Georgia, en el que participaron 130 personas con sobrepeso, las personas que usaron *rhodiola* perdieron un promedio de 20 libras de peso mientras el grupo de control que utilizaba un

250

placebo (cápsulas de engaño) sólo rebajo 7 libras en el mismo periodo.

La *rhodiola* tiene la habilidad de activar la enzima *lipasa* que es la enzima que el cuerpo necesita para romper las grasas acumuladas. El consumo de extractos de *rhodiola* aumenta la eliminación de las grasas en un 9% aun sin hacer ejercicios. No obstante, los estudios reflejaron que cuando se combinó el uso de *rhodiola* con un régimen de ejercicio moderado la eliminación de grasas se aumentó en un increíble 72%. Significa que para los que no se ejercitan la *rhodiola* es una buena ayuda para adelgazar pero para los que sí hacen ejercicios puede ser una maravilla.

Rhodiola ha demostrado que aumenta la duración y la fuerza disponible durante el ejercicio físico. Esto lo logra aumentando los niveles de producción de la sustancia llamada ATP (*"adenosine triphosphate"*, en español "trifosfato de adenosina"). El ATP es la sustancia química que las células producen como resultado del metabolismo de los alimentos para proveerle energía al cuerpo. El ATP es energía química concentrada. Mientras más ATP se produzca en las células mayor energía y metabolismo tendrá el cuerpo.

Inclusive, se han hecho estudios donde la *rhodiola* ha demostrado tener propiedades de aumentar la potencia sexual tanto en el hombre como en la mujer. En los hombres se pudo comprobar que una mayoría de los que usaban *rhodiola rosea* logró reducir significativamente los problemas de erecciones débiles y de eyaculación prematura. Estos hallazgos justificaron la tradición antigua rusa, de cientos de años, de regalarle una jarrita llena de *rhodiola rosea* a las parejas recién casadas para garantizar la fertilidad.

Uno de los efectos más beneficiosos de la *rhodiola rosea* es su capacidad de reducir los niveles de la hormona *cortisol* que produce el cuerpo bajo condiciones de estrés. La hormona *cortisol* tiene el efecto de acumular grasa especialmente en las áreas del abdomen y en la cadera. Es por esto que sabemos que el estrés engorda. Rhodiola tiene un efecto reductor del *cortisol* y ayuda a rebajar aun a las personas que padecen de severo estrés.

Hay varias otras propiedades que tiene la *rhodiola rosea*. Para efectos de lograr mejorar el metabolismo he mencionado las más importantes. No obstante, la siguiente lista de propiedades es la lista completa:

Antiarrítmica (estabiliza los latidos del corazón)
Antidepresiva
Antiestrés
Antifatiga
Aumento en la energía física
Ayuda a personas con Parkinson
Desintoxicación del hígado
Mejoría de alerta mental
Mejoría de la función sexual
Mejoría de la memoria
Mejoría en la capacidad de aprendizaje
Mejoría en la habilidad de concentrarse
Quema grasa

El uso de *rhodiola rosea* tiene también el efecto de mejorar la calidad del sueño. Es un hecho que los niveles altos de *cortisol* producidos durante periodos de estrés no permiten que una persona tenga un sueño conciliador. Las personas con altos niveles de *cortisol* en la sangre padecen de insomnio y se levantan cansados por la mañana. *Rhodiola rosea* tiene el efecto de controlar y reducir la producción de *cortisol* en el cuerpo y eso logra que la persona empiece a dormir mucho mejor cuando usa este adaptógeno.

En Rusia, *rhodiola rosea* se ha utilizado para darle tratamiento a los pacientes de Parkinson. Resulta que *rhodiola rosea* aumenta los niveles de dopamina que es el neurotransmisor del cual están deficientes los pacientes de Parkinson.

Las propiedades del adaptógeno *rhodiola rosea* la han convertido en una ayuda valiosa en la lucha por combatir el "metabolismo lento" y varios de los otros factores causantes del mismo como lo es el estrés.

ADAPTÓGENO:
RHODODENDRON CAUCASICUM

Este otro adaptógeno se descubrió en el estado de Georgia, antes parte de la Unión Soviética, hace cientos de años. Los habitantes de esta región han usado el té de *rhododendron caucasicum* por muchísimas generaciones. El "té alpino" que se prepara con *rhododendron caucasicum* es parte de sus costumbres más antiguas.

En la región de Georgia, según sus últimas estadísticas, había más de 23,000 habitantes de 100 o más años de edad. Esto representa un alto por ciento de habitantes de larga durabilidad cuando consideramos que el estado de Georgia sólo tiene 3.2 millones de habitantes. Los habitantes de 100 años o más de esta región son casi el 1% de la población. Aunque no existen pruebas, la población en general opina que es el uso rutinario del té de *rhododendron caucasicum* el responsable de la larga durabilidad de sus habitantes.

En Rusia se descubrió que *rhododendron caucasicum* tiene propiedades que combaten los ataques de asma y las alergias. El *rhododendron caucasicum* bloquea la acción inflamatoria del ácido arácnido que es un compuesto natural de las carnes rojas (res y cerdo) y de algunos aceites.

Sabemos por los estudios científicos que efectuaron los rusos que el *rhododendron caucasicum* tiene varias propiedades únicas en su clase. Las propiedades comprobadas de este adaptógeno son:

Acelera la eliminación de grasas del cuerpo
Aumenta el flujo de sangre a los músculos
Aumenta el flujo de sangre al cerebro
Aumento en la habilidad y movilidad física
Ayuda con las condiciones de la válvula mitral
Combate el endurecimiento de las arterias
Combate la arteriosclerosis
Desintoxica al cuerpo
Efecto protector de los vasos sanguíneos
Elimina el ácido úrico de las condiciones de gota
Funciona como agente antidepresivo
Inhibe el cáncer del colon
Mejora la eficiencia del sistema cardiovascular
Propiedades anti-bacteriales
Reduce el colesterol
Reduce la presión arterial
Reduce los dolores artríticos
Reduce o elimina los dolores de pecho
Tiene un efecto antioxidante

El uso de *rhododendron caucasicum* aumenta la temperatura (calor) del cuerpo, excita la sed y produce sudor. Este efecto aumenta la eliminación de tóxicos del cuerpo y eso de por sí aumenta el metabolismo. Estas propiedades desintoxicantes de *rhododendron caucasicum* son las que han propulsado su uso como agente natural para combatir la artritis, el reumatismo y la gota (acumulación de ácido úrico).

Una de sus propiedades principales, el acelerar la eliminación de las grasas del cuerpo, es la que más nos interesa. En uno de los estudios que hicieron los científicos rusos, se reflejó que el uso de *rhododendron caucasicum* aumentó la eliminación de grasas entre un 15% a un 20% cuando se comparaba con las personas del estudio que no recibieron este adaptógeno. Este efecto acelerador de pérdida de grasa contribuye a que una persona pueda adelgazar más rápidamente que si no tuviera esta ayuda.

ADAPTÓGENO: RHAPONTICUM CARTHAMOIDES "LEUZA"

A este adaptógeno, *rhaponticum carthamoides*, también se le conoce como "*leuza carthamoides*". El adaptógeno leuza ha sido extensamente estudiado por los rusos. Tiene la capacidad de aumentar la resistencia al estrés físico y de prevenir el agotamiento muscular.

Este adaptógeno mejora el desempeño del sistema cardiovascular proveyendo un mejor abasto de sangre y de oxígeno tanto a los músculos como al cerebro. Los estudios reflejaron aumentos sustanciales en los desempeños y marcas de distintos deportes como natación, esquí, tiro al blanco y en las carreras de pista y campo.

El efecto anabólico (constructor de músculos) de *leuza* también se ha comprobado en los atletas que hacen levantamiento de pesas. Con el uso de leuza se construyen más músculos en menos tiempo.

Las propiedades incluyen:
Acelera el tiempo de reacción y de reflejos
Acorta el periodo de recuperación después del ejercicio
Aumenta la fuerza muscular
Aumenta la resistencia
Aumento del oxígeno en la hemoglobina
Aumento en la concentración mental
Ayuda al cuerpo a adaptarse a las condiciones de estrés
Contrarresta el estrés
Estimula el sistema inmune
Evita el agotamiento
Mejora la coordinación muscular
Posee propiedades antiinflamatorias
Reduce el tejido graso mientras aumenta la musculatura
Retarda el envejecimiento

En el caso de los competidores de tiro al blanco el adaptógeno *leuza* demostró tener propiedades que agudizan la vista mientras estabilizan el pulso, lo cual resultó en casi un 25% de más tiros perfectos en los blancos de tiro.

Este adaptógeno, *leuza*, ganó fama cuando se supo que fisiculturistas reconocidos como Alnord Schwarzenegger lo utilizaban para aumentar su fuerza muscular durante los entrenamientos.

El adaptógeno, *leuza* (*rhaponticum carthamoides*), provee una potente fuente de energía natural que mejora la eficiencia del metabolismo y ayuda a las personas a adelgazar.

ADAPTÓGENO: ASHWAGANDHA

Ashwagandha es un adaptógeno que no procede de Rusia, se originó en la India.

Este adaptógeno, en estudios clínicos controlados, ha demostrado reducir los niveles de *cortisol* (la hormona del estrés) hasta en un 26%. *Ashwagandha* logra esto mientras que a la misma vez reduce los niveles de glucosa en la sangre. Hay que recordar que son los niveles altos de glucosa los que nos obligan a engordar. *Ashwagandha* mantiene los niveles de glucosa más bajos de lo que serían sus niveles usuales. Eso nos ayuda a adelgazar. También es una ayuda muy positiva para los diabéticos. En uno de los estudios el uso de *ashwagandha* logró controlar los niveles de glucosa de los diabéticos de forma superior a los medicamentos recetados para este propósito.

Las personas que estuvieron usando *ashwagandha* en estos estudios también reportaron tener una mejor calidad de sueño, un sentido de bienestar y unos niveles de fatiga reducidos.

Para efectos de subir el metabolismo la ayuda principal que nos brinda *ashwagandha* es su habilidad de mejorar la conversión de la hormona T4 que produce la tiroides a la hormona activa T3 que es la que realmente sube el metabolismo. Muchas personas que padecen de hipotiroidismo notan una mejoría sustancial en sus niveles de energía cuando usan Ashwagandha.

Este adaptógeno, *ashwagandha*, tiende a evitar el estancamiento del metabolismo que ocurre cuando una persona ya lleva muchas semanas en una dieta. El cuerpo, como está vivo, se adapta a los niveles más bajos de glucosa que produce la dieta, y eso tiende a reducir la función de la glándula tiroides. *Ashwagandha*, al mejorar la conversión de hormona T4 a T3, acelera el metabolismo y evita el estancamiento.

Tiene también un efecto calmante en el sistema nervioso. Se ha usado en India para tratar las depresiones y la ansiedad. Inclusive ha demostrado tener propiedades que son valiosas para combatir las enfermedades degenerativas del cerebro y del sistema nervioso como Alzheimer's [1] y Parkinson[2].

Ashwagandha posee propiedades antibacteriales (mata bacterias), antifungales (mata hongos) y también como antitumores (reduce o evita los tumores). En distintos estudios que se hicieron en la India se comprobaron estas propiedades.

A este adaptógeno, *ashwagandha*, se le llama el "ginseng de la India" por sus propiedades energizantes. Ashwagandha es una ayuda natural que ha demostrado ser efectiva contra el "metabolismo lento".

---

[1] Alzheimer's: enfermedad degenerativa del cerebro en la cual una persona pierde de forma progresiva sus capacidades de pensamiento, memoria y lenguaje. Se desconocen las causas y afecta a más de 5 millones de personas en Estados Unidos y a más de 30 millones a nivel mundial.

[2] Parkinson: condición degenerativa del sistema nervioso y muscular del cuerpo. Las personas con Parkinson experimentan temblores, descoordinación muscular, dificultad para comer, rigidez muscular y otros síntomas. Se desconocen las causas de esta enfermedad.

CAUCASIAN BLUEBERRY LEAVES

A las *"caucasian blueberry leaves"* en español se les llama "hojas de arándano azul". Es una planta cuyas hojas contienen dos sustancias naturales (*"chlorogenic"* y *"caffeic acid"*) que en estudios clínicos han demostrado tener las siguientes 3 propiedades:

1. Reducen la absorción de glucosa del intestino
2. Reducen la creación de nueva glucosa del hígado
3. Aceleran la utilización de la glucosa de la sangre

Estas 3 propiedades anteriores son precisamente las estrategias principales que logran que los diabéticos puedan controlar su diabetes y que las personas obesas puedan adelgazar. El sobrepeso y la obesidad, al igual que la diabetes, son condiciones que existen única y exclusivamente por los excesos de glucosa e *insulina*. Cuando se reduce la absorción y la creación de nueva glucosa se produce una pérdida de peso y un control de la diabetes. Si a la misma vez se acelera la utilización de la glucosa que está acumulada en la sangre el efecto es aún más beneficioso. Los *"blueberry leaves"* tienen este efecto estabilizador y regulador de la glucosa en la sangre.

En Rusia y en Japón se ha utilizado, por muchas generaciones, el té de *"blueberry leaves"* al cual se le llama en Japón "té para diabéticos". Por cientos de años este remedio casero tradicional ha sido utilizado aunque se desconocían los mecanismos de cómo funcionaba. Hoy en día ya se sabe que el efecto positivo de los *"blueberry leaves"* es causado por estas dos sustancias naturales que contienen las hojas.

Los extractos que se utilizan hoy en día de *"blueberry leaves"* están estandarizados (controlados a una cierta potencia) con procesos de la química moderna y eso garantiza su efectividad.

Los estudios reflejan que el uso de los extractos de *"blueberry leaves"* también reducen los niveles del colesterol "malo" (LDL) y los niveles de los triglicéridos (grasas de la sangre). Esto es un beneficio marginal que se suma a la ayuda que estos extractos naturales proveen a las personas que desean adelgazar o controlar su diabetes.

Los extractos de *"blueberry leaves"* que han sido objeto de estudios son los extraídos del "arándano del Cáucaso" que se conoce como *"caucasian blueberry leaves"*. Ninguna otra variedad del arándano ha demostrado tener la potencia necesaria para lograr estos efectos deseados.

Para los diabéticos y para toda aquella persona que desee adelgazar los extractos de *"blueberry leaves"* son una ayuda valiosa.

EL SUPLEMENTO "GUGGUL"

Uno de los factores principales de fracaso en las dietas es causado por la capacidad del cuerpo humano de adaptarse a cualquier cambio en su medioambiente o alimentación. El cuerpo humano es un organismo que se auto-regula utilizando el sistema hormonal como agente de control.

La glucosa de la sangre es el alimento principal de todas las células del cuerpo. Cuando una persona empieza una dieta lo primero que el cuerpo siente es que se reducen los niveles de glucosa en la sangre. La respuesta inicial del cuerpo a la reducción de glucosa es la de empezar a romper sus grasas acumuladas para convertirlas en glucosa y alimentar las células. Esto es parte de la capacidad de adaptación que tiene el cuerpo.

Ahora, cuando la dieta continúa por algunas semanas el cuerpo percibe que los niveles de glucosa continúan siendo más bajos de lo usual. Esto es una situación que el cuerpo parece interpretar como una "época de escasez". Su reacción a la "escasez" es economizar energías. Esto, aparentemente, el cuerpo lo hace para mejorar sus posibilidades de sobrevivir durante la supuesta "escasez".

La forma en la que el cuerpo economiza energía es reduciendo la producción de las hormonas de la tiroides para desacelerar el metabolismo. O sea, se reduce la producción de la hormona T4 y su producto la T3. Esto reduce el metabolismo y ahorra energías.

Es inevitable que al hacer cualquier sistema de dieta el cuerpo no reaccione de esta manera: reduce la producción de la tiroides y con ello el metabolismo. Es un mecanismo automático que está diseñado para sobrevivir cualquier situación de escasez. La dieta, cualquiera, tiende a traer consigo una cierta reducción del metabolismo.

Hay distintas técnicas que se utilizan para evitar que el cuerpo reduzca el metabolismo durante la dieta. Todas estas ayudan: mucha agua, ejercicio, aceite de coco orgánico y vitaminas bien potentes.

Además de estas técnicas uno puede ayudar al cuerpo a evitar la reducción del metabolismo durante la dieta utilizando un suplemento natural llamado *guggul*. Este suplemento es una resina que produce un árbol de la India que también se conoce como *"commiphora mukul"* o *"guggulipid"*. El guggul se utiliza en la India desde hace cientos de años para combatir la obesidad. Antes no se sabía por qué funcionaba pero sí se sabía que funcionaba.

Modernamente se descubrió que el *guggul* estimula la producción de hormonas de la glándula tiroides. Esto logra aumentar la producción de T4 y T3 lo cual evita que el metabolismo se reduzca durante la dieta.

El *guggul* contiene unas sustancias activas llamadas *"guggulsterones"* que reducen los niveles de colesterol "malo" (LDL) mientras aumentan la proporción del colesterol "bueno" (HDL). Se sabe que las condiciones de hipotiroidismo producen aumentos en el colesterol. Cuando el *guggul* mejora la función de la tiroides se reduce el colesterol por esa misma razón. El *guggul* también reduce los triglicéridos (grasas en la sangre).

En el 1986 el gobierno de la India le extendió permiso a los fabricantes de suplementos naturales hechos a base de *guggul* para anunciarse como medicina natural para reducir el colesterol.

Es obvio que el beneficio que el uso de *guggul* produce para efectos de adelgazar está relacionado a su habilidad de estimular la tiroides.

Una forma de ayudarnos a vencer el "metabolismo lento" que pudiera agravarse durante el periodo de dieta es utilizar un suplemento que contenga *guggul*.

EL AMINOÁCIDO L-TYROSINE

Los aminoácidos son los componentes de las proteínas. Si juntamos muchas moléculas de aminoácidos podríamos construir proteínas como carnes, huevos o queso.

Existen más de 20 aminoácidos distintos que han sido identificados. Cada uno de ellos tiene cierta propiedad que le hace distinto a los otros.

De interés para nosotros, los que queremos vencer al "metabolismo lento", es el aminoácido L-Tyrosine.

Al L-Tyrosine le llaman "el antidepresivo de la naturaleza". El L-Tyrosine mejora el funcionamiento y las habilidades mentales durante los momentos de severo estrés. Varios estudios demuestran que L-Tyrosine renueva el entusiasmo y la motivación que normalmente se pierden cuando una persona se ve afectada por un medioambiente estresante.

El L-Tyrosine es también parte de la molécula de la hormona T4 que produce la tiroides. O sea, si escasea el aminoácido L-Tyrosine la glándula tiroides no podrá construir suficiente hormona T4 y el metabolismo se verá afectado.

Se ha usado con éxito como antidepresivo natural. También se ha usado como terapia para la hipertensión (alta presión arterial), el líbido (deseo de tener sexo) reducido, el exceso de apetito y como terapia para las adicciones a la cocaína.

El L-Tyrosine reduce el apetito. Se ha descubierto que las personas obesas tienen niveles de L-Tyrosine más bajos que las personas delgadas. Eso mismo hace que siempre parecen tener un exceso de apetito. El uso de L-Tyrosine reduce el apetito y permite que la persona se sienta en control cuando entra en contacto con los alimentos.

Los niveles bajos en la sangre de L-Tyrosine se han identificado en los pacientes deprimidos o con disfunción sexual. Para los pacientes de hipotiroidismo el L-Tyrosine es una valiosísima ayuda.

EL SUPLEMENTO CoQ10

El CoQ10 es un suplemento natural cuyo uso ha demostrado tener amplios beneficios de salud. CoQ10 es una "coenzima". Una "coenzima" es un compuesto sin el cual una enzima† no puede hacer su trabajo. Digamos que es un "ayudante" de la enzima cuyo trabajo es vital.

En el cuerpo humano existen más de 500 enzimas distintas. Las enzimas facilitan los cambios químicos que el cuerpo necesita en todos sus múltiples procesos de vida. La "coenzima" CoQ10 es una sustancia vital que el cuerpo requiere para la creación de energía a nivel celular.

El CoQ10 se descubrió en 1957 por un científico llamado Frederick Crane quien trabajaba para la farmacéutica *Merck, Sharpe & Dohme*. En el 1978 un químico de nombre Peter Mitchell recibió un Premio Nobel por su descripción de cómo el CoQ10 participaba en la creación de energía a nivel celular.

Para la década de los años 1990 el CoQ10 tuvo una verdadera explosión en su consumo a nivel mundial. Hoy en día es un suplemento natural muy conocido.

El suplemento CoQ10 está directamente relacionado a la creación de energía en la mitocondria de las células. La mitocondria es un área interna de las células donde se produce la energía celular y las sustancias como el ATP que transportan esa energía al resto de las células. El CoQ10 es un componente esencial para lograr la transportación de electrones (energía eléctrica) y oxígeno a través de las membranas de la mitocondria. La mitocondria es como si fuera un pequeño horno donde se crea una combustión química que genera la energía del cuerpo. Con suficiente

CoQ10 la mitocondria crea mucha energía y ello mejora grandemente el metabolismo del cuerpo.

Como todas las células del cuerpo se benefician al tener un abasto de energía suficiente, el CoQ10 ha demostrado beneficios para todas siguientes condiciones:

Alzheimer's
Angina (presión en el pecho por falta de oxígeno)
Arritmia
Arterosclerosis
Cáncer de la próstata
Cáncer de los senos
Congestión venosa
Cuido postoperatorio del corazón
Diabetes y neuropatía diabética
Edema (retención de líquidos)
Enfermedades de las encías (inflamadas, agrandadas)
Hígado graso
Hipertensión (lata presión arterial)
Hipertiroidismo
Obesidad y sobrepeso
Palpitaciones del corazón

El suplemento CoQ10 logra un nuevo nivel acrecentado de producción de energía en el cuerpo. Ello ocasiona que todas las células del cuerpo funcionen mejor. El metabolismo se ve reforzado cuando se utiliza CoQ10.

ACEITE DE COCO ORGÁNICO

Hace unos 30 años los medios noticiosos y las autoridades médicas empezaron una campaña masiva para informar al público sobre los daños que podía causar el aceite de coco. Se publicó en aquel entonces que el aceite de coco era una grasa saturada. Se llegó a decir que subía el colesterol. Se habló de que el público debería a toda costa evitar el consumo de aceite de coco. La campaña tuvo éxito y el aceite de coco desapareció de nuestra dieta. Los fabricantes que lo usaban para confeccionar sus productos lo sustituyeron por aceite de soya o maíz que supuestamente eran mucho mejores para la salud.

En esa época existía un esfuerzo concertado y una campaña de relaciones públicas de los fabricantes del aceite de soya para acaparar el mercado de los aceites. Bueno, nos convencieron de que el aceite de coco era "malo" y el aceite de soya era "bueno".

Hoy en día se sabe que todo esto era o una falsedad, o un desconocimiento craso. La información que en esa ocasión nos dieron los "expertos" era equivocada.

El aceite de coco es una grasa saturada. Eso es verdad. Ahora, todas las grasas saturadas no son "malas" de la misma forma que hoy en día se sabe que existe un colesterol "bueno" y uno que llaman "malo". Antiguamente se pensaba que todo el colesterol era "malo" y esto fue así hasta que se descubrió que existían unas diferencias marcadas entre estos dos tipos de colesterol.

La grasa saturada que contiene el aceite de coco es una grasa llamada *triglicéridos de cadena media* (MCT's o *medium chain triglycerides* en inglés). De hecho es un tipo de

273

grasa saturada cuya molécula es bien pequeñita en tamaño y la cual el cuerpo no utiliza para construir más grasa.

Las moléculas de estas grasas saturadas del aceite de coco son tan pequeñas que el cuerpo las envía DIRECTAMENTE a las células para ser convertidas en energía sin pasar por el filtro del hígado como pasa con todas las otras grasas y aceites que ingerimos. Son grasas saturadas que se convierten en ENERGÍA casi instantáneamente y nos ayudan a subir el metabolismo lo cual nos hace rebajar.

El aceite de coco ha resultado ser una de las sustancias más valiosas que existen para ayudar a las personas a levantar su metabolismo y adelgazar. Observe que en los países de medio oriente y las islas del océano Pacífico donde se utiliza el aceite de coco a diario para cocinar y freír prácticamente no existe ni sobrepeso ni obesidad.

Para las personas con hipotiroidismo el uso del aceite de coco ha sido una bendición. Este aceite sube la temperatura del cuerpo de forma tan notable que se puede medir el aumento con un termómetro. Las personas con hipotiroidismo tienen el cuerpo frío. Está frío porque el hipotiroidismo ocasiona en "metabolismo lento". Mientras más lento sea un metabolismo más frío estará el cuerpo.

Por años estuve buscando un suplemento natural que realmente hiciera la diferencia para poder ayudar a las personas con hipotiroidismo. Nunca he visto nada tan efectivo como el uso del aceite de coco para calentar el cuerpo y levantar el metabolismo. Hasta las personas con hipotiroidismo logran bajar de peso cuando utilizan una dosis diaria de aceite de coco.

CUIDADOS CON EL ACEITE DE COCO

El aceite de coco que se utilice debe ser "orgánico". Lo que quiere decir "orgánico" es que está certificado por una entidad acreditada que inspecciona las áreas donde se produce para garantizar que nunca se han utilizado pesticidas, solventes químicos, preservativos o colorantes ni en sus cosechas ni en su procesamiento o empacado.

El aceite de coco contiene un compuesto llamado *ácido caprílico*. Este compuesto, que es parte natural del aceite de coco, tiene unas propiedades que nos interesan. Las propiedades son:

- Es fungicida y mata hongos como *candida albicans*
- Destruye ciertos virus como el herpes
- Elimina bacterias
- Logra que el cuerpo se desprenda de tóxicos internos

Estas propiedades nos ayudan a limpiar el cuerpo de organismos parasíticos que causan infecciones y nos reducen el metabolismo. Esto es muy bueno. Pero, el problema estriba en que algunas personas están tan infectadas de estos organismos que cuando usan aceite de coco sufren una reacción por la repentina muerte que el aceite de coco les causa a estos organismos parasíticos. Son reacciones que pueden ser muy desagradables como:

- Dolor de cabeza
- Diarrea
- Dolores musculares
- Picores en la piel
- Mucosidad en las fosas nasales

Estas reacciones son causadas por la muerte de los organismos parasíticos que residen en el cuerpo como el hongo *candida albicans*, bacterias, virus y parásitos que residen en el intestino y en otros órganos del cuerpo. El problema es que estos organismos parasíticos se mueren DENTRO del cuerpo. Al morirse dentro del cuerpo se pudren y se pueden convertir en tóxicos que le ocasiona al cuerpo todas estas reacciones desagradables.

Si usted empieza a utilizar aceite de coco en su dieta para subir su metabolismo puede que no sienta ninguna de estas manifestaciones desagradables. Pero, puede que sí las sienta si su cuerpo está infectado de alguno o varios de estos organismos.

EL COCO ES UNA FUENTE NATURAL DE TRIGLICÉRIDOS DE CADENA MEDIA QUE SUBEN EL METABOLISMO

El aceite de coco es una verdadera maravilla para bajar de peso. ¡Es algo que realmente funciona! No obstante, hay que saberlo usar de forma juiciosa e inteligente.

La solución es empezar con una dosis baja diaria para darle oportunidad al cuerpo de que pueda eliminar las toxinas que se acumulen al morir los organismos internos. Las personas que tienen infecciones severas del hongo *candida albicans* (véase tema: CANDIDA ALBICANS, "LA EPIDEMIA SILENCIOSA") deben tener un especial cuidado de no subir la dosis demasiado rápido.

La clave es subir la dosis del aceite de coco de forma GRADUAL (poquito a poco). Por ejemplo, subir la dosis solamente una ½ cucharada al día cada semana.

Por cierto, la palabra "orgánico" lo que quiere decir es que está certificado por una institución acreditada que lo inspecciona. Esta organización comprueba que el aceite no contenga ningún preservativo, colorante o pesticida. Comprueba también que el proceso de cultivo no haya utilizado ningún aditivo o abono químico. Cuando es orgánico" se garantiza su pureza.

Existe un aceite de coco clasificado como "virgen" que también es "orgánico". No obstante, cuando es para acelerar el metabolismo el aceite de coco orgánico es superior al "virgen" porque no tiene ningún sabor y no le cambia el sabor a las batidas o a otros alimentos con los que se mezcle.

Hay varios libros escritos sobre las propiedades del aceite de coco orgánico. En mi opinión, el mejor de ellos es el libro titulado *"The Coconut Oil Miracle"* escrito por el doctor naturista Bruce Fife.

PROTEÍNAS DE WHEY

Se sabe que las proteínas suben el metabolismo porque son alimentos de una alta concentración de energía. Por eso el desayuno de cada día debe ser alto en proteínas y bajo en carbohidratos para lograr que el metabolismo se "despierte".

El desayuno es la comida más importante del día. Esto es cierto pero nunca cobra tanta importancia como cuando deseamos vencer un "metabolismo lento" y adelgazar. ¡Entonces el desayuno alto en proteínas es vital!

Pero, las proteínas son los alimentos más difíciles de digerir para el cuerpo. Por el contrario los alimentos más fáciles de digerir son los carbohidratos. Las proteínas requieren que el cuerpo dedique una buena parte de sus energías para lograr romper las moléculas donde se almacena la energía que ellas contienen. Dan trabajo al cuerpo.

La forma más fácil de visualizar esto es observando el tiempo que cada alimento tiene que pasar en el estómago antes de poder continuar su travesía a través del intestino. Por ejemplo, los carbohidratos terminan su proceso en el estómago y pasan al intestino en unas 2 horas máximo. Sin embargo, las proteínas toman de 3 a 4 horas en su digestión antes de que el cuerpo pueda pasarlas al intestino. Es que las proteínas contienen más del doble de la energía (9 calorías por gramo) que los carbohidratos (4 calorías por gramo) pero por esa misma razón toman casi el doble en digerirse.

Una de las razones por la cual una comida alta en proteínas nos quita el hambre por muchas horas es precisamente esta. Las proteínas tardan en procesarse pero proveen energía de mucha duración.

En uno de los cientos de libros que he leído para conocer sobre estos temas del metabolismo, uno de los autores utilizó un ejemplo que pienso describe adecuadamente la diferencia entre las proteínas y los carbohidratos. Explicaba este autor que si uno va a construir una fogata tendría que juntar algunos troncos de madera sólida y tendría además que ponerles algunas ramitas secas y hojas secas debajo de los troncos de madera para poderlos prender en fuego. Las ramitas y hojas secas cogen fuego rápidamente pero su fuego no dura mucho. Por el contrario, los troncos de madera sólida tardan mucho rato en prenderse en fuego pero una vez que se prenden en fuego durarán encendidos por largas horas. Bueno, los carbohidratos son como las ramitas y las hojas secas. Se digieren rápido pero su energía dura poco. Las proteínas son como los troncos de madera, tardan en digerirse pero proveen energía de larga duración.

Tanto los carbohidratos como las proteínas hacen falta. Lo que pasa es que si queremos tener un buen metabolismo y adelgazar hace falta aumentar la energía de larga duración que proveen las proteínas y reducir la energía de corta duración que proveen los carbohidratos refinados. Necesitamos una fogata (metabolismo) que se mantenga calientita la mayor parte del tiempo. La dieta 2x1© o 3x1© provee ese tipo de combinación que mantiene el metabolismo acelerado con una proporción reducida de carbohidratos refinados.

La dificultad para la digestión que tienen las proteínas ocasiona una pérdida de absorción de los aminoácidos que las componen. Se estima que las proteínas en general (carne, huevo, queso) se pueden absorber y utilizar en sólo un 70%. El otro 30% se desperdicia porque el cuerpo no lo puede absorber ni utilizar.

Entre las distintas clases de proteínas que existen (hay muchas) la que ha demostrado ser más beneficiosa para subir el metabolismo es la proteína de whey[†]. La palabra "whey" es una palabra del inglés que significa "suero de leche". Las proteínas de whey tienen un nivel de absorción un poco más alto, como de 80%, y el cuerpo las aprovecha mejor.

Existen en el mercado batidas de whey que vienen preparadas con enzimas digestivas que son especiales para este tipo de proteínas y levantan el nivel de absorción hasta un 98% lo cual es excepcional. Mientras mejor absorción se logre mayor será el aumento en el metabolismo. Cuando una de estas batidas de whey se utiliza como reemplazo de desayuno se produce una pérdida de peso más acelerada porque tiene el efecto de acelerar el metabolismo desde temprano en la mañana.

Una batida de proteínas de whey de alta calidad, que sea baja en su contenido de carbohidratos, producirá un nivel relativamente bajo y muy estable de glucosa en la sangre. Cuando se utiliza una batida de whey como desayuno la persona no siente "hambre" ni "antojos" por un periodo prolongado. La sensación de energía que este tipo de desayuno provee es notable. Para bajar de peso o para las personas con diabetes es ideal como desayuno.

Lo ideal es utilizar una batida de proteínas de whey y echarle una dosis de aceite de coco orgánico al preparar la batida. El aceite de coco orgánico tiene la ventaja de que no tiene ningún sabor. O sea, no tiene sabor a coco, y no le cambia el sabor a la batida.

Por otro lado, el aceite de coco orgánico que se mezcla con la batida crea en el cuerpo un estado de satisfacción del hambre ya que las grasas tienen el efecto de satisfacer el hambre. Las grasas nos proveen una sensación de llenura que nos dura por muchas horas y eso nos elimina la necesidad de tener "meriendas".

El aceite de coco mezclado con la batida de whey también nos elimina los "antojos". Simplemente no existirán episodios de hipoglucemia, ni "bajones de azúcar", mientras se utilice una batida de proteínas de whey combinada con aceite de coco orgánico.

Uno pudiera hacer un desayuno de la dieta 2x1© o 3x1© usando un par de huevos fritos o unos huevos revueltos con muy poco pan. Esto sería adecuado según la dieta 2x1© o 3x1©, pero nunca le haría adelgazar tan rápido como la batida de proteínas de whey reforzada con aceite de coco orgánico.

Los fisiculturistas (*"body builders"*) han popularizado las batidas de proteínas de whey. Eso es debido a que ellos desean construir músculos y reducir las grasas. Nada lo logra más eficientemente que las proteínas de whey, sobre todo, si la batida viene preparada con enzimas digestivas que aumentan la absorción de las proteínas a su máximo posible.

Otra estrategia inteligente es la de reforzar la batida de proteínas de whey con el aminoácido natural *L-Glutamine*. Este aminoácido tiene la propiedad de lograr que los niveles de glucosa (azúcar de la sangre) se sostengan de forma estable, sin subidas ni "bajones", por muchas horas. O sea, el aminoácido *L-Glutamine* estabiliza la azúcar de la sangre. Cuando los niveles de glucosa se sostienen en la sangre la persona no sentirá ningún tipo de "antojo" o deseo por azúcar, chocolates o por carbohidratos refinados. Pudiera encontrarse frente a su postre favorito y no sentirá deseo alguno por consumirlo. El aminoácido *L-Glutamine* ha sido usado exitosamente en Europa en programas de desintoxicación de drogas como cocaína y heroína. Es un aminoácido que tiene propiedades anti-adictivas.

Las proteínas de whey tienen efectos que potencian el sistema inmune del cuerpo y ayudan a combatir las infecciones. Estas proteínas se han venido usando en varios hospitales para tratar a los pacientes de cáncer por esta misma razón de que aumentan el sistema inmune del cuerpo.

A mi entender, no existe una mejor manera de empezar el día con un metabolismo al máximo de su potencial que el uso de una batida de proteínas de whey combinada con una dosis de aceite de coco orgánico. Caso tras caso, he visto esta técnica funcionar a través de los años aun para las personas que han sufrido del llamado "metabolismo lento".

RESUMEN FINAL

Nadie, ni siquiera yo, posee el 100% de la verdad. Por eso nadie puede realmente reclamar que su punto de vista y sus opiniones son las únicas correctas.

Llevo una parte de mi vida buscando cuáles son los factores principales que causan la condición de "metabolismo lento" que cada día tiene a más y más personas en una condición de sobrepeso u obesidad. Son los mismos factores que a mi entender mantienen a muchas personas enfermas y tomando medicamentos.

Aunque usted no practique todo lo que en este libro se le recomienda puede estar seguro de que si practica los conceptos más básicos aquí expresados tendrá resultados positivos. Consejos como tomar mucha agua, usar una dieta baja en carbohidratos refinados y azúcar, usar vitaminas potentes y buscar formas o suplementos para controlar sus estados de estrés le ayudarán, de seguro, a mejorar sus niveles de energía, su metabolismo y su salud.

Existen suplementos naturales y especiales para subir el metabolismo como RELAX SLIM™, METABOLIC PROTEIN™, y COCO-10 PLUS™ del fabricante METABOFORTE™. No obstante, usted no tiene que utilizarlos para tener éxito en adelgazar y recuperar el metabolismo. El uso de los suplementos es para facilitar el proceso. Aun sin el uso de estos suplementos especiales usted podrá notar una mejoría muy significativa en sus niveles de energía y en su metabolismo si comienza a aplicar las recomendaciones que le he hecho en este libro. Lo he visto funcionar en más de 10,000 personas que hemos ayudado con el sistema Natural Slim™.

Si tiene curiosidad por saber cuán afectado está su metabolismo visítese el sitio de Internet de Natural Slim™ llamado www.rebajar.com y hágase la prueba de metabolismo gratis que hay en la página principal. Esta prueba de metabolismo fue diseñada con la ayuda de varias universidades y especialistas en metabolismo. Al terminar de contestar su cuestionario de la prueba de metabolismo gratis, su por ciento debería siempre ser 100% pero difícilmente lo será. Si el resultado de la prueba le da, por ejemplo, 90%, ello quiere decir que usted ha perdido el equivalente al 10% de su metabolismo.

Si ya ha fracasado en muchísimas dietas e intentos anteriores es posible que necesite una ayuda más intensiva y personalizada como la que provee un sistema como Natural Slim™. Si siente que no necesita una ayuda intensiva aplique lo que ha aprendido en este libro y le garantizo que en la gran mayoría de los casos verá resultados positivos en poco tiempo. Si tiene acceso a suplementos especiales como los fabricados por METABOFORTE™ que han sido formulados para mejorar el metabolismo puede hacer uso de ellos para ayudarse en el proceso. Los suplementos especiales como RELAX SLIM™, METABOLIC PROTEIN™ y COCO-10 PLUS™ del fabricante METABOFORTE™ fueron formulados tomando en cuenta los factores principales que ocasionan un "metabolismo lento". Factores como control de estrés, ayuda para la glándula tiroides, control del hongo *candida albicans*, y uso de adaptógenos y sustancias especiales para aumentar el metabolismo sin afectar el sistema nervioso.

Sea como sea, usted no podrá dejar de saber lo que ha aprendido sobre el tema del metabolismo. El conocimiento que ahora tiene sobre las causas del "metabolismo lento", y sus soluciones, lo comprometen en cuanto a la responsabilidad de hacer algo para remediarlo. Las personas que tienen un "metabolismo lento" debido a su desconocimiento son víctimas de su ignorancia sobre el tema. Pero, una vez ya se conocen las causas y las soluciones a un problema lo único que cuenta es la RESPONSABILIDAD y la decisión firme de solucionarlo.

Ningún problema se soluciona solo. El problema del "metabolismo lento" no es una excepción a esta regla. No hay "milagros" ni pastillas "milagrosas". Sólo existe el conocimiento y la voluntad de tener éxito.

Si usted padece de diabetes sepa que se juega la vida en este asunto. Las personas con diabetes son la porción de la población que más enfermedades mortales padecen. Una gran parte de los diabéticos padece de alta presión, altos triglicéridos, problemas del corazón, problemas con los riñones, neuropatía diabética (pérdida de sensación en los nervios) y hasta ceguera. Si quiere ponerle control a su diabetes, antes de que su diabetes le quite el disfrute de vivir, tiene que controlar su uso de carbohidratos refinados y azúcar. Las otras recomendaciones como hidratar su cuerpo, uso de vitaminas potentes y uso del aceite de coco orgánico le mejorarán el metabolismo y la salud.

En el tema del metabolismo lo más importante es la CONSISTENCIA. Es llevar un patrón definido con una estrategia de acción que haga sentido. Por ejemplo, le garantizo que si su estrategia es reducir los carbohidratos refinados, para reducir los niveles de glucosa en la sangre, usted logrará bajar de peso hasta el punto que desee hacerlo. Si lo logra rápidamente, o más lentamente, es más un asunto de cuántos de los factores que suben el metabolismo usted implanta y cuántos usted ignora.

Realmente no hace falta un exceso de "disciplina". Lo que hace falta es tener el CONOCIMIENTO adecuado a la situación. Si logró entender el mensaje que trato de llevarle podrá aplicar lo que aprendió y nunca pasará "hambre". Por lo tanto, no tendrá que depender de la "disciplina".

Tampoco se ponga demasiada presión. Usted no necesita añadir ningún estrés adicional a su vida. ¡Recuerde que el estrés engorda! Aquí la clave del éxito es TOMAR LA DECISIÓN y luego, contra viento y marea, hacerla valer aplicando lo aprendido.

Inclusive, si utiliza la regla del 90/10 tendrá éxito. La regla del 90/10 es la regla de hacer las cosas bien por lo menos el 90% de las veces y dejar un 10% de las veces para cuando quiera jugar al "malo de la película" comiéndose lo que le venga en ganas. Si usted está sobrepeso o con obesidad es sólo debido a que del 50% al 80% de las veces está haciendo lo incorrecto. Cambiarse a hacer las cosas bien un 90% de las veces es una tremenda mejoría y no le pide un sacrificio mayor. No queremos "estrés", queremos resultados positivos.

El *Poder del Metabolismo* está todavía en su cuerpo. Aplicar lo que ha aprendido le ayudará a recuperar su metabolismo al máximo posible para su edad. Su metabolismo se puede mejorar si usted empieza a cooperar con su cuerpo con un nuevo y mejorado "estilo de vida". Todavía su cuerpo tiene el potencial de mejorar el metabolismo y la salud. Todo el mundo puede mejorar si aplica estos conocimientos.

SUPLEMENTOS ESPECIALES: METABOFORTE™

LA BÚSQUEDA DE LO QUE PRODUCE BUENOS RESULTADOS

Estos últimos 10 años de trabajo y la experiencia de haber ayudado a rebajar a más de 10,000 personas en el sistema Natural Slim™ (www.rebajar.com) me han hecho aprender cuáles son las técnicas que funcionan. En el caso de Natural Slim™ era una situación donde o producíamos resultados positivos en nuestros miembros o simplemente fracasábamos como empresa. Es verdad que "los clientes contentos son la mejor publicidad". Pero, también es verdad que si lo que hacemos en Natural Slim™ no produce los resultados esperados nuestro fracaso como empresa no se hará esperar. La voz sobre lo que no funciona, sobre los engaños, al igual que los "chismes" se riega mucho más rápido que cualquier publicidad.

Por lo tanto, me dediqué todos estos años a observar y aislar los factores que realmente demostraban mejorar el metabolismo y ayudar a adelgazar. ¡Probamos todo! Muchas veces nos dimos cuenta que aunque eran técnicas que aparentaban tener mucha lógica simplemente no producían resultados con nuestros miembros. Los miembros del sistema Natural Slim™ fueron, por mucho tiempo, parte de un "experimento" donde interesábamos comprobar si algún suplemento natural o técnica nutricional que habíamos descubierto realmente funcionaba o no.

Con los miembros de Natural Slim™ probamos cientos de distintos suplementos naturales para determinar cuáles producían resultados y cuáles no los producían. Teniendo la ventaja de pesar y medir los niveles de grasa de cientos de personas cada semana podíamos observar si nuestras recomendaciones de suplementos o de alimentación estaban funcionando o no. Tan pronto descubríamos que algún nuevo suplemento no hacía una diferencia notable en la pérdida de grasa semanal lo eliminábamos como posible alternativa. Fue un largo proceso de "experimentación" buscando lo único importante para nosotros y nuestros miembros: RESULTADOS.

Nos tomó unos años pero logramos aislar del resto cuáles eran los suplementos naturales y las recomendaciones de dieta que realmente producían el aumento en el metabolismo y la reducción de grasas del cuerpo. Hoy en día ya no se experimenta con nada en el sistema Natural Slim™. Ya no hace falta porque se obtienen resultados uniformemente, buenos para la gran mayoría de los miembros participantes. Dicen que "lo que funciona no se cambia" y por eso hoy en día estamos operando Natural Slim™ sólo con lo que ha demostrado que produce buenos resultados.

Siempre nos mantenemos al tanto de los nuevos descubrimientos relacionados al metabolismo pero ya no estamos en una búsqueda frenética de lo que funciona o no funciona como en los primeros años. Simplemente sabemos lo que funciona y lo aplicamos con buenos resultados.

No obstante, sabemos que existen cientos de miles de personas, sino millones, que necesitan ayuda pero que desconocen las causas del "metabolismo lento", el sobrepeso y la obesidad. Personas que no requieren de un tratamiento intensivo y personalizado como el que ofrece Natural Slim™. Personas que residen demasiado lejos de una sucursal de Natural Slim™ donde puedan recibir la asistencia. Inclusive, personas que no tienen los medios económicos para pagar un sistema intensivo y personalizado como lo es Natural Slim™.

Natural Slim™ se especializa en "casos difíciles" de personas que ya han "tratado de todo". En esa área somos exitosos porque generalmente las personas que no han logrado rebajar con ningún otro sistema lo logran con el sistema Natural Slim™. No es que estemos haciendo nada "milagroso", es que estamos EDUCANDO a la persona a aplicar lo que le ayudará a recobrar su metabolismo. Simplemente, Natural Slim™ tiene un enfoque educacional donde la ayuda principal es el CONOCIMIENTO que la persona adquiere para adelgazar y no volver a ganar el peso nuevamente. De ahí la frase "el peso que se fue..... ¡Para Siempre!".

Como parte de la experiencia y los conocimientos adquiridos en Natural Slim™ aprendimos que el metabolismo se ve reducido por una variedad de factores. Son más de 13 factores distintos. Pero, hay 4 de ellos que son muy prominentes entre las personas que tienen un "metabolismo lento". Estos 4 factores principales son:

1. El efecto negativo que tiene el **estrés** y el exceso de producción de la hormona *cortisol* que ocasiona una acumulación de grasa y reduce el metabolismo. O sea, el estrés que nos engorda.

2. Los **problemas con las deficiencias de la glándula tiroides** y la conversión de la hormona T4 a hormona activa T3. Las personas con hipotiroidismo son víctimas directas de este factor pero también lo es todo aquel que permanezca en una dieta por más de 3 o 4 semanas.

3. Las **infecciones del hongo *candida albicans*** cuyos tóxicos produce un "metabolismo lento" además de un sinnúmero de síntomas y enfermedades como, picor en la piel, sinusitis y migrañas.

4. La **dieta incorrecta** que es demasiado rica en carbohidratos refinados (pan, harina, arroz, dulces, etc.) sin hidratación (agua) adecuada.

Con la idea de ofrecer ayuda a esos cientos de miles o millones de personas que no requieren una ayuda intensiva o que por alguna otra razón no pueden participar del sistema Natural Slim™ creamos los suplementos y el sistema de mejorar el metabolismo llamado METABOFORTE™ (www.metaboforte.com). METABOFORTE™ quiere decir "metabolismo fuerte".

Los primeros 3 factores reductores del metabolismo (estrés, tiroides y candida albicans) los mejoramos con dos suplementos naturales llamados RELAX SLIM™ y COCO-10 PLUS™. El factor de la dieta incorrecta lo manejamos con una batida de proteínas de whey llamada METABOLIC PROTEIN™ que se recomienda como desayuno y con la dieta 2x1© o 3x1© que recomendamos que se haga. (véase tema: UNA DIETA CON LA QUE SE PUEDE VIVIR)

De esta forma tratamos de cubrir las necesidades más importantes que tiene el cuerpo para vencer el "metabolismo lento" y adelgazar mientras se recupera el metabolismo.

La investigación sobre los componentes y sustancias naturales que contienen estos suplementos de METABOFORTE™ llevó más de 3 años. Los consultores del sistema Natural Slim™ estuvieron participando de forma "secreta" en probar los efectos y los resultados que las sustancias nuevas, como los adaptógenos rusos, producían en sus cuerpos. Queríamos ofrecer algo que produjera resultados positivos y la única forma era probarlo en nosotros mismos.

Cuando descubrimos los adaptógenos rusos tuvimos la asistencia del Doctor Zakir Ramazanov quién nos ayudó a entender los múltiples beneficios de esas sustancias para el metabolismo y el control del estrés. El Doctor Ramazanov nos ayudó a localizar las fuentes más puras y certificadas de estos adaptógenos (*rhodiola rosea, rhododendron caucasicum, rhaponticum carthamoides "leuza"*). En el mercado de los suplementos y las sustancias naturales también existen las imitaciones y las sustancias adulteradas. Es que los niveles de ética comercial en nuestro planeta no son muy altos que se diga. Por lo tanto, hay que saber qué calidad de sustancia natural o hierba se compra, y hacerla certificar por laboratorios especializados que comprueben su potencia y tener la seguridad de que está libre de pesticidas y tóxicos adulterantes.

Poco tiempo después desarrollamos el suplemento STRESS DEFENDER ANGEL™ el cual fue formulado específicamente para controlar los efectos negativos del estrés. Es un suplemento natural que reduce los niveles de la hormona del estrés llamada *cortisol* y ayuda a las personas a poder adelgazar mucho más rápidamente. Hay cantidad de personas cuya causa principal de sobrepeso es el estrés lo cual se refleja por la acumulación excesiva de grasas en el área abdominal (barriga).

También formulamos una fórmula especial de vitaminas y minerales para subir el metabolismo llamada METABOLIC VITAMINS™. Son vitaminas y minerales formulados para ayudar a subir el metabolismo de inclusive esas personas que tienen un "metabolismo lento" causado por hipotiroidismo o diabetes.

Muchas personas que habían leído este libro en su primera versión se identificaban con el problema de la infección del hongo *candida albicans* porque padecían

295

muchas de las manifestaciones que produce este hongo como picor en la piel, sinusitis, migrañas y gases estomacales en exceso. Todas eran personas que tenían un "metabolismo lento" debido a la infección de este hongo. Eso nos llevó a tener que crear un programa para limpieza de hongos para estas personas de manera que pudieran reducir la infección de *candida* y pudieran adelgazar sin tantos problemas. El programa de limpieza de hongos se llama el CANDISEPTIC™ KIT. Este conjunto de 3 suplementos naturales ayuda a las personas a eliminar una gran parte de su infección de hongos y los resultados son muy positivos en la salud y en el metabolismo de la persona.

Como parte de la constante búsqueda e investigación relacionada al tema del metabolismo encontramos una información muy valiosa del Dr. David Brownstein. En su libro "Iodine: Why You Need It, Why You Can't Live Without It" el Dr. Brownstein nos explica la importante relación que existe entre el yodo y la glándula tiroides que controla el metabolismo. No pudimos evitar estar de acuerdo con el Dr. Brownstein en su opinión de que una parte sustancial de la población está deficiente de yodo lo cual les crea un "metabolismo lento". Por eso desarrollamos el suplemento THYROL™ que contiene un extracto de yodo orgánico natural extraído de las algas marinas.

En fin, existen ayudas naturales que funcionan y que producen buenos resultados cuando se combinan con una dieta correcta como la Dieta 2x1©.

EL SUPLEMENTO RELAX SLIM™

Creamos un suplemento, RELAX SLIM™, que contiene una combinación de 21 distintos compuestos naturales que han demostrado que mejoran el metabolismo. Son sustancias naturales que reducen los efectos del estrés, reducen el crecimiento del hongo *candida albicans*, y dan apoyo a la glándula tiroides lo cual es vital para subir el metabolismo.

Son cápsulas y se usan solamente 2 cápsulas al desayuno y 2 cápsulas al almuerzo. Localizamos sustancias naturales con potencias superiores garantizadas de los compuestos activos para evitar que hubiera que utilizar docenas de cápsulas diarias de menor potencia.

Este suplemento contiene los adaptógenos rusos que proveen energía, queman grasa y reducen la producción de la hormona *cortisol* que produce el estrés y nos engorda.

Contiene las vitaminas y minerales que evitan que el hongo *candida albicans* continúe creciendo y propagándose de forma descontrolada dentro del cuerpo. Son suplementos naturales como *biotina* que es una vitamina del complejo B. Esta vitamina le para el sistema reproductivo al hongo *candida* y controla su crecimiento.

Usamos también una dosis relativamente alta de *niacina (vitamina B3)*. La *niacina* es una vitamina fungicida, o sea, mata los hongos. La *niacina* tiene también un efecto antidepresivo, reduce el colesterol, elimina tóxicos del cuerpo y rompe grasas. Nada de esto es cierto con la *niacinamida* que utilizan los fabricantes de vitaminas. Los fabricantes de vitaminas comerciales sustituyen la *niacina (vitamina B3),* que es una vitamina en su estado natural, por la *niacinamida* que es una creación de la industria para evitar que la *niacina* cause una reacción al chocar con tóxicos u hongos en el cuerpo. La *niacina* es desintoxicante, por eso es que, a las personas que tienen el cuerpo lleno de tóxicos, les puede ocasionar un enrojecimiento (*"niacin flush"*) de la piel. Por ejemplo, cuando hubo el accidente nuclear en Chernobyl, Rusia, en 1986 se le dieron altas dosis de *niacina (*vitamina B3*)* a la población para ayudarles a extraer la radiación acumulada en sus cuerpos. Si usted empieza a utilizar RELAX SLIM™ y nota que por ratos la piel de la cara se le pone muy rojiza sepa que no corre ningún peligro. Solamente su cuerpo se está limpiando de los tóxicos acumulados y en algún tiempo dejará de tener esas reacciones.

RELAX SLIM™ contiene hierbas como guggul y como el adaptógeno ashwagandha que ayudan a la glándula tiroides a funcionar mejor. Contiene también todas las vitaminas y minerales que son esenciales al cuerpo y a la tiroides para convertir la hormona T4 que produce la tiroides en hormona T3, que es la hormona que realmente sube el metabolismo. Contiene un compuesto natural llamado *"myricetin"* que ha demostrado en estudios controlados que aumenta la absorción del mineral yodo por parte de la tiroides. El yodo es esencial a la producción de las hormonas de la tiroides. Contiene también extractos de *"blueberry leaves"* lo cual reduce los niveles de glucosa en la sangre y eso ayuda a adelgazar y a controlar la diabetes.

El suplemento RELAX SLIM™ tiene otro beneficio en el hecho de que contiene el adaptógeno llamado *rhodiola rosea* el cual tiene un efecto antiestrés, antidepresivo y de eliminación de las grasas del cuerpo. Este adaptógeno, *rhodiola rosea,* tiene también el efecto de aumentar la potencia y el apetito sexual tanto en el hombre como en la mujer y por esta razón ha sido utilizado en Rusia como afrodisíaco[1] por muchas generaciones. En Rusia ha existido una costumbre de regalarle una jarrita con *rhodiola rosea* a las parejas de recién casados para garantizar la fertilidad de la pareja.

RELAX SLIM™ contiene también otros adaptógenos como *rhaponticum carthamoides (leuza)* y *rhododendron caucasicum* que aumentan la energía celular a nivel todo el cuerpo e inclusive mejoran la capacidad intelectual y de aprendizaje.

En fin, RELAX SLIM™ es el producto de 3 años de intensa investigación, de pruebas, de consultas con investigadores y científicos que conocen el tema del metabolismo. No contiene ningún agente estimulante porque ya vimos que los agentes estimulantes, aunque sean naturales, no proveen beneficios a largo plazo. De hecho, causan un estado de "nervios" que produce aun más estrés. Por lo tanto, usamos las propiedades antidepresivas, energizantes y calmantes que contienen los adaptógenos. De esta forma subimos el metabolismo cooperando con el bienestar y la energía del cuerpo y sin forzarlo.

---

[1] afrodisíaco: Procede de Afrodita, la diosa griega del amor. Sustancia que aumenta el apetito o la potencia sexual.

COCO-10 PLUS™

En el año 2005, trajimos por primera vez el aceite de coco orgánico para ofrecerlo a los miembros del sistema Natural Slim™. Fue, sin lugar a dudas, uno de los descubrimientos más importantes de los últimos 10 años de nuestra historia como sistema para adelgazar.

Los resultados fueron espectaculares. Las personas con hipotiroidismo, que estaban bajando de peso a un ritmo semanal más lento por su condición, empezaron a bajar casi al doble de la velocidad tan pronto empezaron a utilizar una dosis diaria del aceite de coco orgánico. Todos los miembros que empezaron a utilizar el aceite de coco orgánico aumentaron la cantidad de libras de grasa que perdían en sus pesajes semanales.

Desde entonces, el aceite de coco orgánico se convirtió en una de las ayudas estándares del sistema Natural Slim™.

Naturalmente, el aceite de coco orgánico si no se acompaña con una dieta correcta no dará estos resultados. No hay "milagros".

Considerando que el sistema METABOFORTE™ no tendría todas las ventajas del trato personalizado, los tratamientos para reducir el hongo *candida albicans,* y las otras muchas ayudas del sistema Natural Slim™, estuvimos viendo si existía alguna manera de mejorar las propiedades ya comprobadas del aceite de coco orgánico.

Vimos cientos de posibilidades pero finalmente descubrimos que el suplemento CoQ10, que tiene muchos estudios que comprueban su habilidad de subir la energía de las células y mejorar el metabolismo, podía ser lo que necesitábamos para crear un "súper aceite de coco orgánico".

Por eso, hicimos pruebas, consultamos con químicos de productos naturales, leímos los estudios y finalmente se creo COCO-10 PLUS™.

COCO-10 PLUS™ es un "súper aceite de coco orgánico" porque es una mezcla de una alta calidad de aceite de coco orgánico con el suplemento energizante CoQ10 que aumenta y mejora los procesos respiratorios y de oxigenación de las células. El CoQ10 aumenta la producción de la molécula de energía celular ATP ("*adenosine triphosphate*", en español "trifosfato de adenosina"). Eso logra aumentar el metabolismo.

El CoQ10 es un suplemento cuya producción la controlan los japoneses. Fueron los japoneses que descubrieron los procesos de fermentación natural que permite producir grandes cantidades de este compuesto. ¡Es un suplemento caro!

El suplemento CoQ10 es caro porque su producción mundial escasamente llega a cubrir la demanda internacional y eso lo encarece. En Japón, Alemania, Suiza, Australia y otros países el CoQ10 se utiliza como tratamiento médico para los problemas del corazón.

Resulta que el CoQ10 nunca antes se había combinado con aceite de coco orgánico. Esto de por sí fue un gran logro ya que hubo que hacer docenas de pruebas con distintos suplidores de CoQ10 para lograr obtener un CoQ10 que se disolviera de forma perfecta dentro del aceite de coco orgánico. La pureza del CoQ10 tenía que ser de 99% o más para lograr que se disolviera perfectamente en el aceite de coco orgánico. Finalmente, lo logramos.

El aceite de coco orgánico tiene una propiedad que por suerte va perfecta con el CoQ10. El aceite de coco orgánico aumenta la absorción de los otros aceites que se combinen con él al doble de lo que es normal. El aceite de coco orgánico está compuesto de *triglicéridos de cadena media (MCT's)* que son enviados directamente a las células y sin pasar por el hígado. Eso hace que no haya desperdicio o pérdidas entre la ingesta de aceite de coco y lo que llega a las células. Es por eso que el aceite de coco orgánico llega directamente a las células y su efecto energizante no se hace esperar.

La industria farmacéutica es el mayor consumidor del aceite de coco orgánico a nivel mundial. Ellos descubrieron que el aceite de coco orgánico es un "carrier oil" (aceite transportador) que transporta hacía adentro de las células todo aquello que esté mezclado con él. Por esa razón, las compañías farmacéuticas consumen miles de barriles de aceite de coco orgánico, el cual utilizan para mezclar con sus medicamentos solubles en aceite para mejorar la absorción y la penetración celular de las medicinas.

Esta propiedad de "aceite transportador" que posee el aceite de coco orgánico logra aumentar la potencia de la dosis que usamos de CoQ10 en el COCO-10 PLUS™ porque al aumentarse la absorción al doble, la dosis de CoQ10 también equivale al doble. El CoQ10 combinado con el aceite de coco orgánico es realmente un potente estimulador del metabolismo.

Uno de los efectos más notables del uso del suplemento COCO-10 PLUS™ es la claridad mental que produce. Este beneficio lo genera el CoQ10 porque al aumentar la energía que producen las células se mejora también la producción de energía de las células del cerebro.

Debe saber que el aceite de coco orgánico que contiene el COCO-10 PLUS™ cambia de forma líquida a forma sólida según la temperatura del ambiente. El suplemento COCO-10 PLUS™ no necesita refrigeración porque el aceite de coco orgánico es muy estable y no se descompone en un ambiente de calor. Si usted vive en un ambiente donde la temperatura es más fría de 76° Fahrenheit su COCO-10 PLUS™ se pondrá sólido ya que el frío solidifica el aceite de coco. Eso no quiere decir que el producto esté dañado. Sólo hay que calentarlo un poco y nuevamente se volverá líquido para poderlo mezclar con su batida o para poderlo ingerir directamente en dosis de cucharadas.

Muy en especial para las personas que padecen de hipotiroidismo o para las personas que tienen muchas libras de exceso de grasa para adelgazar el COCO-10 PLUS™ es una ayuda importante porque sube el metabolismo.

Las dosis de COCO-10 PLUS™ deben irse subiendo de forma gradual. O sea, algo así:

Primera semana:
LUNES - ½ cucharada al día
MARTES - ½ cucharada al día
MIERCOLES - ½ cucharada al día
JUEVES - ½ cucharada al día
VIERNES - ½ cucharada al día
SÁBADO - ½ cucharada al día
DOMINGO - ½ cucharada al día

Segunda semana:
LUNES - 1 cucharada al día
MARTES - 1 cucharada al día
MIERCOLES - 1 cucharada al día
JUEVES - 1 cucharada al día
VIERNES - 1cucharada al día
SÁBADO - 1 cucharada al día
DOMINGO - 1 cucharada al día

Tercera semana:
LUNES - 1 ½ cucharada al día
MARTES - 1 ½ cucharada al día
MIERCOLES - 1 ½ cucharada al día
JUEVES - 1 ½ cucharada al día
VIERNES – 1 ½ cucharada al día
SÁBADO - 1 ½ cucharada al día
DOMINGO - 1 ½ cucharada al día

De 1 ½ cucharada al día se subiría la dosis a 2 cucharadas diarias y así sucesivamente a base de ½ cucharada de aumento por cada semana. Se puede seguir subiendo la dosis hasta 4 cucharadas diarias siempre y cuando el cuerpo lo permita. Si el cuerpo empieza a tener unas diarreas constantes es que usted se pasó de la dosis correcta para su cuerpo y debe reducirla.

A la mayoría de las personas le va muy bien con 2 cucharadas al día. Fíjese que estamos hablando de cucharadas, no cucharaditas.

COCO-10 PLUS™ ayuda también a reducir el hongo *candida albicans* en el cuerpo y eso logra que el metabolismo suba lo cual le ayudará a adelgazar. No obstante, es importante que usted suba la dosis del COCO-10 PLUS™ de forma gradual para que le dé oportunidad al cuerpo de eliminar las toxinas que se producen al matar el hongo en su cuerpo.

METABOLIC PROTEIN™

La alimentación en general es importantísima para subir el metabolismo. Pero, el desayuno sigue siendo la comida más importante del día para las personas que padecen de "metabolismo lento" y aún para aquellas que sólo interesan mantener su peso.

La mejor forma que hemos visto de empezar el día dándole un impulso al metabolismo para que "despierte" es utilizar una batida de proteínas de whey[†] como desayuno. Eso no significa que todos los días vamos a usar una batida. Periódicamente se puede usar un desayuno tipo dieta 2x1© o 3x1© con huevos fritos o revueltos o una tortilla (omelet) acompañada de un poco pan. No obstante, ningún par de huevos fritos puede subir el metabolismo como lo haría una batida de proteínas de whey como METABOLIC PROTEIN™.

Las batidas METABOLIC PROTEIN™ no son batidas comunes como lo que venden las tiendas naturistas o lo que usan los fisiculturistas para levantar músculos. Son batidas formuladas para subir el metabolismo. Las necesidades del cuerpo de una persona con "metabolismo lento" no son iguales a las de las personas que no tienen este problema o a la de los fisiculturistas.

METABOLIC PROTEIN™ es un suplemento de alta tecnología nutricional. Es lo que llaman un "reemplazo de comida" ("*meal replacement*") porque contiene TODAS las vitaminas y minerales que el FDA ("*Food & Drug Administration*" o Administración de Alimentos y Drogas en español) requiere para ser llamado un "reemplazo de comida". Las batidas ("*shakes*") comunes no son "reemplazos de comida" ("*meal replacements*") porque no son alimentos completos y no cualifican para esa

307

clasificación del FDA. Una batida común de proteínas es un "suplemento" de proteínas para suplementar la dieta normal pero no se puede utilizar como si fuera una comida completa. METABOLIC PROTEIN™ es un "reemplazo de comida". O sea, una comida completa. METABOLIC PROTEIN™ se puede utilizar para reemplazar la comida de la cena si usted no desea cenar otro tipo de alimentos. Generalmente se utiliza una sola vez al día, al desayuno, pero se pudiera repetir si fuera necesario. Es una comida completa.

Si algunos días decide también utilizar la batida METABOLIC PROTEIN™ por la noche asegúrese de no añadirle la dosis de COCO-10 PLUS™. El COCO-10 PLUS™ causa una subida rápida del metabolismo y provee energía. Pero usted no querrá esa energía a la hora de dormir porque le puede quitar el sueño. El COCO-10 PLUS™ se debe usar durante las horas de la mañana o temprano en la tarde pero nunca de noche por esta misma razón.

Las batidas de whey del mercado, además de que no son "reemplazos de comida", tienen un problema principal: **mal sabor**. Esto es un verdadero problema porque ¿cómo podría uno utilizar una batida de proteínas de whey cada mañana si se convierte en un "sacrificio" el tragarlas?

METABOLIC PROTEIN™ es sabrosa. Después de cientos de pruebas y de haber probado todas las batidas que existen en el mercado podemos decirle que no encontrará una batida más sabrosa que METABOLIC PROTEIN™. De hecho, se vende con una "satisfacción garantizada" que le permite devolverla para crédito completo si usted por alguna razón no disfruta de su sabor.

Viene en 3 sabores: vainilla, chocolate y fresa. Cada uno tiene sus fanáticos. Algunas personas le dan otros "toques de sabor" a la de vainilla utilizando extracto de almendras o canela en polvo. En el tema de los sabores cada cual es dueño y señor. Los sabores son cuestión de gusto personal. METABOLIC PROTEIN™, en pruebas que hemos hecho, tiene un nivel de aceptación de más de 95%.

METABOLIC PROTEIN™ contiene unas poderosas enzimas[1] que aumentan la absorción de los aminoácidos de las proteínas de whey a cerca de un 98%. Esto logra que una dosis de METABOLIC PROTEIN™ provea un aumento del metabolismo por largas horas. El aumento en el metabolismo es debido a que los aminoácidos, casi en su totalidad (98%), se hacen disponibles a las células como fuente de energía. Las proteínas comunes sólo se absorben en un 70% o menos cuando no vienen acompañadas de enzimas especiales que aumentan su absorción.

Las batidas METABOLIC PROTEIN™ también contienen una dosis alta del aminoácido *L-Glutamine*. Este aminoácido controla los "antojos" y elimina los deseos por dulces o azúcar. Ha sido utilizado para controlar los niveles de glucosa de los diabéticos. *L-Glutamine* logra que no exista la posibilidad del "bajón de azúcar" llamado "hipoglucemia". Cuando usted hace un desayuno con la batida METABOLIC PROTEIN™ no es fácil tentarlo con ningún "pecadillo" porque sus niveles de glucosa y de *insulina* se mantienen estables. Usted no tendrá hambre, ni "antojos".

La forma más rápida de subir el metabolismo y adelgazar es utilizar una dosis del COCO-10 PLUS™ dentro de su batida METABOLIC PROTEIN™. Esto se prepara generalmente por la mañana temprano en una licuadora recipiente con tapa que le permita agitar la mezcla. El

---

[1] enzimas: son sustancias que logran que los alimentos se digieran de forma más eficiente. Se ha descubierto que las proteínas en general no se absorben en más de un 70% lo cual causa un desperdicio del 30% de la proteína ingerida que el cuerpo no aprovecha.

COCO-10 PLUS™ no le cambia el sabor a la batida METABOLIC PROTEIN™.

La batida METABOLIC PROTEIN™ mezcla bien en una licuadora ("*blender*") pero también se puede mezclar en un recipiente cerrado agitando los ingredientes hasta mezclarlos. La preparación de la batida que generalmente se utiliza como reemplazo del desayuno es la siguiente:

FÓRMULA PARA PREPARAR LA BATIDA:

8 onzas de agua
Dosis en cucharadas de COCO-10 PLUS™
1 o 2 bloquecitos de hielo (si le gusta más fría)
2 medidas ("scoops") de METABOLIC PROTEIN™

Si desea obtener una consistencia más espesa o más líquida puede aumentar o reducir la cantidad de la proteína de METABOLIC PROTEIN™ que utiliza para su batida.

Para los diabéticos o las personas con hipoglucemia esta batida ayuda a crear unos niveles normales de glucosa en la sangre lo cual permite mejorar ambas condiciones. Para las otras personas lo que más se nota al usar esta batida como desayuno es que se desaparece el hambre y los deseos de consumir dulces o carbohidratos refinados.

La combinación de METABOLIC PROTEIN™ con COCO-10 PLUS™ tiene el efecto de proveerle una fuente de energía superior a su cuerpo para levantar el metabolismo. La energía y sensación de bienestar que se siente al usar esta batida es notable.

EL SUPLEMENTO
STRESS DEFENDER ANGEL™

Trabajando por tantos años con personas que padecen de un "metabolismo lento" nos dimos cuenta de que el ESTRÉS es uno de los mayores enemigos del metabolismo.

Muchos de nosotros vivimos una vida llena de situaciones estresantes que perduran por largos periodos de tiempo. De hecho, el estrés puede ser tan continuo y rutinario que inclusive llegamos a considerarlo "normal" cuando que en realidad el estrés es cualquier cosa menos "normal". Presiones económicas, problemas familiares, ambientes de trabajo estresantes más otra cantidad de malas noticias que a diario nos impactan fuerzan a nuestro cuerpo a producir la hormona del estrés llamada *cortisol*.

La hormona *cortisol* crea en el cuerpo un conflicto hormonal porque interfiere con las hormonas que se producen en la glándula tiroides lo cual reduce nuestro metabolismo y crea una tendencia a acumular más grasa. El *cortisol* también hace que el cuerpo reaccione con drásticas subidas y disminuciones de los niveles de glucosa en la sangre lo cual no nos permitirá adelgazar. Inclusive cuando los niveles de *cortisol* en la sangre están muy altos podemos empezar a padecer de insomnio o dificultad para dormir. La gente que experimenta mucho estrés generalmente duerme mal o se levantan cansados por la mañana. El estrés provoca la producción de *cortisol* y eso hace estragos tanto con el sistema hormonal como con el sistema nervioso del cuerpo.

El estrés mata gente pero antes de matarlos los hace engordar porque reduce el metabolismo. Para poder adelgazar se necesita estar lo más libre posible de los efectos del estrés y no estar sufriendo de ansiedad. También hay personas cuyos estados de ansiedad les provoca comer dulces

311

o carbohidratos refinados y si no controlan la ansiedad tampoco podrán adelgazar con tranquilidad.

A través de más de 10 años, mientras ayudaba a miles de personas a mejorar su metabolismo y adelgazar, he visto los efectos negativos de situaciones estresantes que incluyen hasta la de tener la pareja incorrecta. Aun el tener que cuidar a un par de niños indisciplinados puede disparar por las nubes los niveles de *cortisol* a tal punto que le engorde o le evite adelgazar.

Hicimos pruebas con distintas sustancias naturales para tratar de descubrir cuáles de ellas nos podían ayudar a controlar los efectos negativos del estrés. Finalmente encontramos dos sustancias naturales que usadas en la proporción correcta producen un estado de calma y ayudan a las personas tanto a rebajar como a dormir mejor.

Al suplemento que creamos le llamamos STRESS DEFENDER ANGEL™. Es un suplemento natural muy efectivo que controla los efectos negativos del estrés logrando que el cuerpo produzca mucho menos *cortisol*. Hemos tenido a docenas de esposas y maridos agradecidos que han venido a darnos las gracias por el efecto calmante y anti-estrés que este suplemento ha producido en su pareja.

Este suplemento es una gran ayuda por su efecto de controlar el estrés lo cual mejora el metabolismo. No obstante también tiene un efecto tipo antidepresivo y no se debe mezclar con ciertos tipos de medicamentos antidepresivos de los llamados "MAO inhibitors[1]".

---

1 MAO inhibitor – cierto tipo de medicamento que se utiliza en la enfermedad de Parkinson y para la depresión. Las marcas más comunes son Marplan, Nardil, Parnate y Eldepryl.

METABOLIC VITAMINS™

Según se explica en el capítulo llamado "¿VITAMINAS o VITAPOBRES?" su cuerpo no podrá recuperarse de un "metabolismo lento" si usted no le da lo que necesita para poder subir el metabolismo.

Miles de veces hemos visto lo siguiente: una persona quiere adelgazar pero no quieren invertir dinero en una buena vitamina con minerales así que van a su tienda Sam's o Costco más cercana y se compran alguna fórmula barata. Un par de semanas después la persona anda desilusionada con los resultados de su esfuerzo por bajar de peso. Ya en este punto la persona está triste y desanimada y no se ha podido dar cuenta de que en el tema del metabolismo no existen los substitutos baratos. Un "metabolismo lento" es un metabolismo afectado. Usted necesita utilizar una fórmula de vitaminas y minerales que sea de ALTA POTENCIA para subir el metabolismo o se expone a fracasar.

El cuerpo humano es un organismo increíble. Es una entidad que siempre hace lo máximo que puede para lograr sobrevivir aun a pesar de las acciones dañinas que nosotros constantemente le ocasionamos. Sin embargo, es un organismo que tiene unas necesidades básicas que son vitales a su funcionamiento. Cuando estas necesidades básicas se le niegan el cuerpo va gradualmente perdiendo su habilidad de funcionar bien.

Los motores de los carros corren con gasolina, aceite y agua. Los cuerpos humanos son bastante más complejos que un carro y el metabolismo necesita unos 30 tipos distintos de vitaminas y minerales para poder funcionar. Algunas de las necesidades del cuerpo son en cantidades pequeñísimas llamadas microgramos. Un microgramo es igual a un gramo dividido por 1,000,000 de partes lo cual es una cantidad tan

313

pequeña que se hace imposible de detectar sin el uso de instrumentos especializados. No obstante, y por dar un ejemplo, si su cuerpo necesita una cierta cantidad de microgramos del mineral *selenio* y usted no se la provee su glándula tiroides se verá afectada y su metabolismo se convertirá en un "metabolismo lento". En otras palabras, la falta de un nutriente (vitamina, mineral) el cual pesa menos que un cabello de pelo le evitará adelgazar aunque usted haga lo que haga.

Si no logra usted encontrar una fórmula de vitaminas y minerales que sea de verdadera ALTA POTENCIA como para reactivar el metabolismo le recomendamos la fórmula llamada METABOLIC VITAMINS™. Esta es una fórmula que ha demostrado tener resultados. Las personas que la usan sienten la diferencia tanto en los niveles de energía del cuerpo como en la talla de ropa.

Esta fórmula de vitaminas y minerales es realmente potente. Por la misma razón nunca se debe utilizar teniendo el estómago vacío ya que son compuestos naturales muy concentrados. Estas vitaminas se pueden utilizar en combinación de la batida de desayuno METABOLIC PROTEIN™ o con su almuerzo.

EL PROGRAMA DE LIMPIAR
HONGOS "CANDISEPTIC™ KIT"

Hay cantidad de personas que no han logrado bajar de peso principalmente debido a que sus cuerpos están excesivamente infectados del hongo candida albicans. Padecen de picores en la piel (especialmente de noche), sinusitis, migrañas, gases estomacales y alergias además de otros 20 síntomas de lo que los médicos llaman "candidiasis". El hongo candida a través de sus procesos de fermentación produce 78 tóxicos distintos dentro del cuerpo y eso crea un ambiente excesivamente lleno de sustancias ácidas que le reducen el oxígeno al cuerpo y por ello también crean un "metabolismo lento". La gente que tiene mucha candida generalmente fracasan en todas las dietas que empiezan debido a este mismo factor, el hongo candida.

Por otro lado, ninguna parte de la población está más infectada de este hongo que los diabéticos. El cuerpo de una persona con diabetes, por definición, es un cuerpo que tiene unos niveles altos de glucosa (azúcar de la sangre). Como el hongo candida favorece las azúcares como alimento el exceso de glucosa que tiene el cuerpo de un diabético crea un ambiente demasiado propicio para que el hongo pueda crecer, multiplicarse y reproducirse a gran velocidad. No existe ninguna parte de la población que tenga más hongo candida en sus cuerpos que las personas con diabetes. El exceso de glucosa en el cuerpo de un diabético crea un tipo de paraíso para los hongos porque se encuentran rodeados de un abasto abundante de glucosa que les ayuda a reproducirse.

Descubrimos que cuando una persona logra reducir la cantidad de hongo candida en su cuerpo su metabolismo se acelera y puede entonces adelgazar mucho más rápido y con resultados más permanentes. O sea, que no tiende a quedar con una tendencia a "rebotar" (bajar de peso para luego subir de peso nuevamente).

Creamos el CANDISEPTIC™ KIT que es un programa de limpieza de hongos compuesto de 3 suplementos naturales:

CANDIDA CLEANSE™ - contiene ingredientes fungicidas (mata hongos) naturales que atacan al hongo destruyendo su capacidad de reproducirse.

GOOD FLORA™ - si bien es importante reducir la colonia de hongos es igual de importante el reintroducir y reforzar las "bacterias buenas" que componen la flora intestinal. Si no se refuerza la flora saludable del intestino el hongo candida no puede ser controlado. La flora intestinal saludable compuesta de las llamadas "bacterias buenas" produce un compuesto llamado "acidophilin" el cual destruye los hongos y de esa forma protege nuestro intestino de una nueva infección de hongos.

IMMUNE SUPPORT™ - Mientras los hongos se van eliminando del cuerpo desgraciadamente también se va creando un ambiente tóxico dentro del cuerpo debido a que estos hongos que se van muriendo se descomponen y se convierten en tóxicos. Cuando hay una fuerte infección de hongos, como en el caso de los diabéticos, la limpieza puede ser bastante desagradable. Por eso, creaos este suplemento, IMMUME SUPPORT™, que ayuda a aumentar el sistema inmune del cuerpo mientras promueve la eliminación de los tóxicos a través del hígado.

Limpiar los hongos del cuerpo es algo que puede llegar a ser algo incómodo pero con la ayuda del CANDISEPTIC™ KIT se puede lograr.

EL SUPLEMENTO THYROL™

Los problemas relacionados a la tiroides son cada vez más evidentes en la población. Más de la mitad de los miles de personas que han utilizado nuestra ayuda para adelgazar padecen de una glándula tiroides vaga, o sea, hipotiroidismo. Algunos de ellos lo saben porque han sido diagnosticados por sus médicos y otros no se han enterado debido a que posiblemente padecen del llamado "hipotiroidismo subclínico" que no se refleja en los análisis de laboratorio para la tiroides. Una cosa sí es cierta, todas estas personas tienen manifestaciones claras de hipotiroidismo como frío en las extremidades, caída del pelo, retención de líquidos, piel reseca, insomnio, depresión, cansancio continuo, infecciones recurrentes (de bacterias, virus y hongos) y se les hace prácticamente imposible el bajar de peso.

Según nos explica el Dr. David Brownstein en su libro "Iodine: Why You Need It, Why You Can't Live Without It" la deficiencia de yodo es bastante común. De hecho el estudio federal NHANES demostró que en los últimos 20 años el consumo de yodo se ha reducido en un 50% y eso pudiera explicar las epidemias de hipotiroidismo y de obesidad que están arropando al país.

Un dato interesante del Dr. Brownstein es el hecho de que en el Japón el consumo promedio diario de yodo es de 13.8 miligramos cuando que en Estados Unidos es aproximadamente 90 veces menor (150 microgramos). Los japoneses consumen altas cantidades de algas marinas en su alimentación diaria y eso les provee una dosis alta de yodo. Curiosamente la incidencia de problemas de la tiroides en Japón es solamente como un 10% de la incidencia que experimentamos en los otros países. La falta de yodo también está muy relacionada a varias condiciones de salud como senos fibroquísticos (quistes dolorosos en los senos), cáncer en los senos y cáncer en la próstata entre otras condiciones.

El yodo es esencial para la tiroides ya que inclusive la hormona T4 que produce la tiroides se llama "T4" debido a que contiene 4 átomos de yodo y la hormona T3 se llama "T3" porque contiene 3 átomos de yodo. Sin el yodo la glándula tiroides no tendría la materia prima esencial que necesita para crear las hormonas que energizan el metabolismo y nos hacen adelgazar.

Parte del problema que explica el Dr. Brownstein es que nuestro cuerpo ha estado recibiendo otras sustancias que compiten y desplazan al yodo a nivel celular. Son sustancias tóxicas como el fluoruro que encontramos en la pasta de dientes y como el bromuro que le añaden al pan y a la harina de trigo que comemos. El fluoruro es una sustancia altamente tóxica y el bromuro también. De hecho, por muchos años la medicina utilizó tabletas de fluoruro como medicamento para poder suprimir la producción de hormonas de la tiroides en los pacientes que tenían una tiroides demasiado acelerada (hipertiroidismo). El bromuro es otra sustancia tóxica que desde el 1980 le están incorporando a casi todo el pan, las galletas y la harina de trigo que nos venden en el país. Los fabricantes de alimentos utilizan el bromuro para evitar que la harina de trigo se aglutine. Tanto el fluoruro como el bromuro son sustancias conocidas como "goitrógenos" que interfieren con la producción de hormonas de nuestra glándula tiroides lo cual causa o empeora el hipotiroidismo. Si una persona ha sido una entusiasta consumidora de pan o harina y además padece de la tiroides se puede sospechar que el exceso de bromuro haya sido, en alguna parte, causante de su obesidad o su hipotiroidismo.

Inclusive, las personas que tienen en su boca algún trabajo dental compuesto de las llamadas amalgamas o platificaciones que contienen el mineral mercurio muchas veces empiezan a padecer de la tiroides. Resulta que el mercurio es un mineral altamente tóxico que también compite y desplaza al yodo en las células del cuerpo.

El suplemento THYROL™, compuesto de yodo orgánico extraído de las algas marinas, es un líquido del cual se utilizan entre 3 a 9 gotas diarias para suplementarle el yodo al cuerpo. La dosis se puede mezclar en una batida de proteínas o en cualquier otro líquido incluyendo su café de la mañana. No se recomienda el uso de este suplemento a menos que usted ya haya hecho una limpieza del hongo *candida albicans* de su cuerpo con un programa de limpieza de hongos como el CANDISEPTIC™ KIT. Como el yodo es un mineral fungicida (mata hongos) si resulta que su cuerpo tiene una infección severa de hongos podría usted tener unas reacciones muy desagradables al empezar a consumir yodo. Si usted ha sido un ávido consumidor de pan, harina, arroz, dulces, azúcar o chocolates puede sospechar que su cuerpo estará excesivamente infectado del hongo *candida* ya que esos son los tipos de alimentos que favorecen la reproducción del hongo.

Las personas que padecen de la tiroides deben consultar con su médico antes de empezar a suplementar su cuerpo con yodo. Cuando la tiroides está deficiente de yodo y usted le suple una dosis de yodo la tiroides se puede acelerar de forma natural y eso haría que su médico tuviera que ajustarle la dosis de su medicamento recetado para la tiroides. No se recomienda el THYROL™ para personas que son alérgicas al yodo.

La dosis de THYROL™ debe empezarse en su nivel más bajo de 1 gota al día e irse aumentando de gota en gota para evitar una reacción desagradable del cuerpo. Por ejemplo, en el primer día se utilizaría una sola gota, en el segundo día 2 gotas, en el tercero 3 gotas y así sucesivamente hasta llegar al noveno día con una dosis diaria de 9 gotas. Las necesidades de yodo del cuerpo se afectan dependiendo de los niveles de grasa del cuerpo ya que la grasa consume mucho del yodo del cuerpo y mientras más grasa contenga el cuerpo de una persona generalmente más alta será su necesidad de yodo. También se sabe que los senos de la mujer compiten con la glándula tiroides por el yodo. Por eso las mujeres con senos más grandes necesitan más yodo que las mujeres con senos pequeños. Prácticamente todos los órganos del cuerpo necesitan obtener una dosis de yodo lo cual incluye los ovarios de la mujer, el hígado y la próstata en los hombres.

Cuando se utiliza el suplemento THYROL™ se pueden a veces sentir manifestaciones de desintoxicación ya que la dosis de yodo empieza a desplazar los tóxicos como fluoruro, bromuro y mercurio que estén alojados en el cuerpo. Estas manifestaciones se notan principalmente en erupciones de acné que son producidas por la salida del bromuro. Son manifestaciones pasajeras que tienden a desaparecer.

El yodo tiene un efecto calmante o relajante en el cuerpo ya que también es utilizado por nuestras glándulas adrenales para controlar la respuesta del cuerpo a las condiciones de estrés físico o emocional.

El THYROL™ se puede utilizar de forma tópica (en la piel) para tratar heridas o infecciones de hongos ya que penetra la piel y puede además ser una gran ayuda para mejorar su metabolismo. Mi recomendación principal sería que si a usted le gusta leer se eduque sobre el tema del yodo con el libro del Dr. David Brownstein.

SUPLEMENTOS DE POTASIO Y MAGNESIO

EL POTASIO

Cuando usted utiliza la dieta 2x1© o 3x1© pasan ciertas cosas específicas en su cuerpo: se reducen los niveles de glucosa, su cuerpo produce menos *insulina* (la hormona que le engorda) y más *glucagona* (la hormona que le adelgaza) y su cuerpo también empieza a eliminar los excesos de grasa acumulada.

Todo esto es muy bueno porque usted se sentirá mejor y con más energía a la misma vez que empieza a adelgazar. Pero, la cosa no es tan simple. Cuando usted empieza a perder grasa su cuerpo se tiene que adaptar al nuevo estilo de nutrición de la dieta 2x1© o 3x1©. Ese proceso de adaptación, en algunos casos, revela una deficiencia del mineral *potasio* que existía en el cuerpo lo cual usualmente se refleja como una retención de agua o hinchazón. En el cuerpo, los niveles de agua se mantienen controlados por una delicada relación de balance que existe entre la sal (sodio) y el *potasio*. La sal (sodio) retiene agua y el potasio la elimina. El mecanismo de las células que mantiene el balance se llama la "bomba de sodio-potasio". El sodio retiene el agua mientras el *potasio* la saca del cuerpo. Con la ayuda de ambos minerales el cuerpo trata de mantener el balance correcto de agua dentro y fuera de las células.

La sal (sodio) abunda en la mayoría de los alimentos ya que se utiliza como preservativo. Las comidas preparadas o enlatadas tienden a tener un alto contenido de sal. Sin embargo el *potasio* principalmente sólo se encuentra en las frutas, vegetales y ensaladas. Si usted no es del tipo de persona que acostumbra a comer mucha ensalada seguramente tendrá una deficiencia de *potasio* en el cuerpo.

El cuerpo de las personas que están sobrepeso generalmente está repleto de sal (sodio) y por lo tanto tienden a padecer de alta presión arterial. La sal retiene el agua y al retenerse mayor volumen de agua dentro del cuerpo se obliga a la presión arterial a subir. El *potasio* tiene el efecto contrario de la sal. El *potasio* funciona como un diurético natural y obliga al cuerpo a orinar el exceso de sal lo cual inclusive reduce la presión arterial.

Cuando alguien que está sobrepeso y cuyo cuerpo contiene un exceso de sal acumulada empieza a hacer la dieta 2x1© o 3x1© es posible que note que su cuerpo empieza a retener agua. Si esto pasa es un indicador claro de que el cuerpo está demasiado deficiente del mineral *potasio*.

Si usted nota que al hacer la dieta 2x1© o 3x1© su cuerpo retiene agua usted necesita suplementar su dieta con un suplemento de *potasio* para poder extraer la sal (sodio) del cuerpo. Las cápsulas de *potasio* vienen en un tamaño de dosis de 99 miligramos cada una. La dosis que se recomienda es de 2 cápsulas de 99 mg por cada 50 libras de peso de su cuerpo. Por ejemplo, si su cuerpo pesa 200 libras usted necesitaría 8 cápsulas de *potasio* al día.

Una de las señales de que su cuerpo está deficiente de *potasio* es tener calambres musculares. Los calambres musculares siempre son causados por deficiencias de *potasio*.

Nosotros recomendamos una forma de *potasio* que es más absorbible para el cuerpo que las otras, se llama *potassium citrate* (citrato de potasio). La ventaja de esta forma de *potasio* es que como es más absorbible para el cuerpo trabaja más rápido y se necesita menos dosis diaria que con otros tipos de *potasio*.

EL MAGNESIO

Se calcula que no existe ninguna deficiencia más severa en la población de Estados Unidos que la deficiencia del mineral magnesio. Los expertos estiman que alrededor del 86% de la población está deficiente de magnesio. También se sabe que el 100% de los diabéticos están deficientes de magnesio.

Ahora, cuando usted empiece a perder grasa del cuerpo, si resulta que usted tiene una deficiencia de magnesio, ello se va a manifestar en forma de estreñimiento o en unos fuertes dolores de espalda. Fíjese que el magnesio es el mineral que permite que los músculos se relajen. Cuando existe una deficiencia de magnesio los músculos no se pueden relajar y permanecen contraídos y en tensión. El intestino es un músculo. Si no se puede relajar entonces tampoco se puede mover y eso se llama estreñimiento. Los casos de estreñimiento severo están muy relacionados a las deficiencias de magnesio.

Cuando su cuerpo empieza a perder grasa también va perdiendo magnesio. Por eso es que se puede producir un estreñimiento si su cuerpo está deficiente de este mineral. Lo que pasa es que la grasa está compuesta de "ácidos grasos" ("fatty acids"). Como su nombre implica los "ácidos grasos" son "ácidos". Los ácidos nunca abandonan el cuerpo a menos que sean acompañados por algún mineral alcalino (el contrario de ácido). El magnesio resulta ser uno de los principales minerales alcalinos del cuerpo así que cuando su cuerpo pierde grasa también va perdiendo su magnesio. Si su cuerpo ya estaba deficiente de magnesio usted pudiera empezar a sentir dolores de espalda o estreñimiento.

El magnesio como suplemento es casi milagroso. Se puede ayudar a resolver cualquier condición de estreñimiento con magnesio. El magnesio también se utiliza para reducir la presión arterial.

Resulta que el magnesio es el mineral que permite que su sistema cardiovascular se relaje y por eso tiene el efecto de reducir la presión sanguínea. Cuando las arterias y el músculo del corazón logran relajarse adecuadamente la presión arterial se reduce y se evitan los problemas como las arritmias (pérdida de ritmo) del corazón.

Para ayudar a reducir la presión arterial de forma natural el magnesio se utiliza con lo que llamamos una "dosis a tolerancia". Como todos los cuerpos son distintos es imposible determinar cuál es la dosis que un cuerpo necesita y por eso utilizamos el sistema de la "dosis de tolerancia" que nos ayuda a descubrir exactamente cuánto magnesio necesita el cuerpo de una persona.

Cuando el magnesio se utiliza en exceso a la cantidad que el cuerpo puede absorber siempre se produce una diarrea. El exceso de magnesio produce diarrea porque relaja el músculo que llamamos el intestino. La forma de descubrir la "dosis a tolerancia" que su cuerpo necesita es la siguiente: empiece utilizando una sola cápsula de magnesio en el primer día, si esa dosis no le produce una diarrea ello significa que su cuerpo absorbió el magnesio y por lo tanto lo necesitaba. Al próximo día aumente la dosis a 2 cápsulas, si no le causa diarrea entonces fue que su cuerpo lo absorbió. Si por ejemplo al tercer día usted utiliza 3 cápsulas de magnesio y ello le ocasiona una diarrea ello significa que usted se sobrepasó de la dosis necesaria y que la dosis correcta para su cuerpo era la de 2 cápsulas diarias. La "dosis a tolerancia" es la dosis máxima que su cuerpo pueda tolerar sin que el magnesio le ocasione una diarrea. De esta forma usted puede descubrir exactamente cuánto magnesio necesita su cuerpo y al proveérselo podrá reducir la presión arterial.

GLOSARIO – DEFINICIONES
DE LAS PALABRAS

Aceites poliinsaturados (definición): los aceites y las grasas están construidas de moléculas compuestas de átomos de carbón, hidrógeno y oxígeno. Cuando todos los átomos de carbón de un aceite están unidos a átomos de hidrógeno se le llama un aceite o una grasa saturada (grasa de cerdo, aceite de coco, etc.). Si existen átomos de carbón que no están unidos a átomos de hidrógeno entonces el aceite es un aceite poliinsaturado (aceite de maíz, aceite vegetal, etc.). Los aceites que no están saturados de hidrógeno reaccionan al oxígeno en el ambiente y se pueden oxidar o pudrir. Los aceites poliinsaturados son aquellos aceites que contienen una gran cantidad de átomos de carbón que no están unidos a átomos de hidrógeno y por lo tanto reaccionan al oxígeno y pueden oxidarse o pudrirse si no están refrigerados.

Adaptógeno (definición): Los adaptógenos son sustancias naturales que fueron descubiertas por los rusos y estuvieron siendo estudiadas de forma secreta por los científicos de la antigua Unión Soviética desde el 1947 hasta el 1991 cuando se disolvió el régimen comunista en Rusia. Son sustancias que tienen propiedades que ayudan al cuerpo a adaptarse a todo tipo de situación adversa como estrés, cansancio, agotamiento o frío. Los adaptógenos se han utilizado con éxito para aumentar el metabolismo y la energía del cuerpo además de combatir una gran cantidad de enfermedades y condiciones como depresión, hipotiroidismo, diabetes u obesidad.

Almidón (definición): los carbohidratos como papa, yautía, yuca, batata y otros tubérculos están compuestos de almidón. El arroz también es un almidón. Los almidones son moléculas compuestas de azúcares simples las cuales el cuerpo convierte en glucosa con mucha facilidad.

Carbohidratos (definición): los carbohidratos son alimentos como pan, arroz, papa, harinas de distintos granos (maíz, trigo, cebada, etc.), pasta, vegetales, frutas y azúcares. Los carbohidratos son por definición moléculas de azúcares como glucosa, fructosa, lactosa y otras. El cuerpo humano utiliza la glucosa (azúcar de la sangre, carbohidratos) como fuente de energía para las células. Se les llama carbohidratos porque contienen los elementos carbón e hidrógeno junto con el elemento oxígeno.

Colesterol (definición): Sustancia natural producida por el cuerpo humano y por los animales. El colesterol es la materia de construcción principal de muchas de las hormonas como estrógeno (hormona femenina) y testosterona (hormona masculina). Prácticamente todas las células del cuerpo contienen colesterol con excepción de las células de los huesos. Hay colesterol que es llamado "colesterol bueno" (HDL, *"high density lipoprotein"*) y uno llamado "colesterol malo" (LDL, *"low density lipoprotein"*).

Cortisol (definición): su nombre verdadero es "glucocorticosteroide" o cortisona. Esta hormona se produce en las glándulas adrenales que están localizadas en la parte de arriba de cada uno de nuestros dos riñones. La palabra *"cortisol"* es el nombre en inglés de esta hormona. Es una hormona que se produce en respuesta al estrés y cuyo efecto incluye acciones como aumentar los niveles de glucosa en la sangre (por eso engorda), destruir algunos músculos para convertirlos en aminoácidos que el cuerpo pueda usar para producir energía (al destruir los músculos crea la piel flácida), reducir la acción del sistema inmune (crea más probabilidad de infecciones de bacterias, virus, hongos o parásitos) y reducir cualquier inflamación del cuerpo.

Enzima (definición): las enzimas son proteínas que participan en lograr cambios y transformaciones de otras substancias. Por ejemplo, hay una enzima que transforma el colesterol y lo convierte en la hormona *estrógeno*. Hay distintas enzimas que se utilizan para poder digerir las grasas, las proteínas y los carbohidratos. Existen enzimas en el cuerpo cuya función principal es desactivar las sustancias tóxicas que penetran el cuerpo. Algunas enzimas rompen las uniones que existen entre los átomos de un alimento y de esa forma liberan la energía contenida en el alimento. Hay enzimas involucradas en todos los procesos del cuerpo.

Goitrógenos (definición): sustancias naturales o químicas que han demostrado que suprimen la función de la glándula tiroides. Todo lo que suprima la función de la glándula tiroides reduce el metabolismo. Algunos goitrógenos naturales están contenidos en la soya. El fluoruro de la pasta de dientes es uno de los goitrógenos porque reduce la producción de hormonas de la tiroides.

Hipertiroidismo (definición): es una condición en la cual la glándula tiroides produce un exceso de las hormonas de la tiroides. Esto causa pérdida de peso, palpitaciones, alta presión, insomnio, ataques de pánico, dificultad para concentrarse, cansancio continuo y nerviosismo, entre otras.

Hipoglucemia (definición): la palabra "hipoglucemia" quiere decir "azúcar (glucosa) baja" en la sangre. El prefijo "hipo" quiere decir "bajo" o "baja" y "glucemia" viene de "glucosa". Contrario a los diabéticos que tienen la glucosa demasiado alta las personas con hipoglucemia por momentos tienen la glucosa demasiado baja. Tener la glucosa demasiado baja causa temblores, mareos, sudor y desorientación mental. Se estima que prácticamente todos los diabéticos pasaron por estados de hipoglucemia antes de llegar a la condición llamada diabetes.

Hipotiroidismo (definición): condición en la cual la glándula tiroides produce una cantidad insuficiente de las hormonas que controlan el metabolismo y la temperatura del cuerpo. Esta condición se caracteriza por síntomas como depresión, caída del pelo, frío en las extremidades, estreñimiento, resequedad en la piel, dificultad para adelgazar, cansancio continuo, problemas digestivos e infecciones continuas. Es una condición que no siempre se detecta en las pruebas de laboratorio y que puede existir subclínicamente (sin que se detecte con facilidad en los análisis de laboratorio).

Insulina (definición): una hormona importantísima que se produce en el páncreas y que es la que permite que la glucosa sea transportada hasta las células para ser utilizada como fuente de energía para el cuerpo humano. Es la hormona que permite la acumulación de grasa en el cuerpo cuando existe un exceso de glucosa que no es utilizado por las células. Los diabéticos tienen problemas relacionados a esta hormona y en algunos casos tienen que inyectársela si su páncreas ya ha sufrido daño y no produce suficiente de ella.

Metabolismo (definición): la suma de todos los procesos y de todos los cambios químicos que utiliza el cuerpo para convertir los alimentos y los nutrientes en energía para sobrevivir. La palabra que mejor define al *metabolismo* es la palabra *movimiento*. El *metabolismo* tiene que ver con todos los *movimientos* del cuerpo humano.

Mofongo (definición): en la comida típica de Puerto Rico existe un plato preparado con plátano frito y luego majado que se llama "mofongo". Se dice que es un plato que originaron los esclavos africanos de Puerto Rico en la época colonial. El nombre "mofongo" es de origen africano. Las personas de la República Dominicana tienen uno parecido al que le llaman "mangú" que aparentemente también fue originado por los esclavos de origen africano. El plátano es un almidón muy alto en carbohidratos. Es sabroso, pero si se abusa engorda.

Osteoporosis (definición): condición que afecta principalmente a las mujeres que están en su menopausia y en la cual se va perdiendo parte de los huesos de una mujer. El perderse hueso se crean como si fueran unos poros en los huesos y eso aumenta el riesgo de fracturas a los huesos por cualquier simple golpe o caída.

Proteína de whey (definición): de la leche se extraen varios tipos de proteínas como caseína y whey. En español el "whey" significa "suero de leche". El whey ha demostrado ser el tipo de proteína que más acelera el metabolismo humano e inclusive su consumo tiene un efecto protector porque potencia el sistema inmune del cuerpo. Para bajar de peso o para mejorar el metabolismo no existe ninguna proteína más apropiada que la proteína de whey.

Proteínas (definición): las proteínas son materias como carnes, quesos y huevos. Las proteínas están compuestas de aminoácidos. Muchos aminoácidos juntos construyen una proteína. Muchas de las hormonas como la *insulina* son proteínas. Las enzimas digestivas también son proteínas porque están compuestas de aminoácidos. La palabra "proteína" se origina de la palabra *"protas"* del idioma griego la cual quiere decir "de importancia primaria".

Triglicéridos (definición): los triglicéridos son grasas. Todas las grasas y todos los aceites son triglicéridos. Se les llama así porque las moléculas de todas las grasas y de todos los aceites siempre contienen 3 (tri) líneas de extensiones compuestas de ácidos grasos unidas a un espinazo de glicerina. De ahí viene la palabra *triglicérido*. El tipo de ácido graso que compone la extensión es lo que determina si es aceite de oliva, de maíz o de cualquier otro tipo.

Tubérculos (definición): alimentos como yuca, yautía, malanga, batata y otros que crecen debajo de la tierra y que están principalmente compuestos de almidones. Los almidones son moléculas de azúcar que se convierten en glucosa con mucha facilidad.

Yodo (definición): Mineral esencial que utiliza la glándula tiroides para poder construir las hormonas T4 y T3 que mueven el metabolismo y permiten la creación de energía a nivel de todas las células del cuerpo. El yodo es también necesario para la salud y el buen funcionamiento de otras glándulas del cuerpo como las glándulas mamarias (senos), ovarios, próstata y adrenales. Hay varios otros compuestos tóxicos al cuerpo que compiten y desplazan al yodo en las células del cuerpo lo cual puede causar hipotiroidismo. Por ejemplo, el cloruro que contiene la sal yodada compite con el yodo ya que la sal contiene 30,000 veces más cloruro que yodo. Lo mismo pasa con el fluoruro que contiene la pasta de dientes que interfiere con la absorción del yodo. De igual forma el bromuro que le añaden al pan y a las harinas de trigo bloquea la entrada del yodo. También el mercurio de las amalgamas dentales desplaza al yodo y afecta negativamente a la tiroides.

LECTURAS RECOMENDADAS Y RECURSOS DE INFORMACIÓN

Aceite de coco:
The Healing Miracles of Coconut Oil – Bruce Fife, N.D.

Eat Fat Look Thin - Bruce Fife, N.D.

Aceites y grasas:
Fats that Heal, fats that Kill – Udo Erasmus

Adaptógenos:
The Scientific Validation of Herbal Medicine – Daniel B. Mowrey, Ph. D.

Artic Root (Rhodiola Rosea) The Powerful New Ginseng Alternative – Carl Germano, R.D., C.N.S., L.D.N. and Zakir Ramazanov. Ph. D.

The Rhodiola Revolution – Richard P. Brown, M.D. and Patricia L. Gerbarg, M.D.

Effective Natural Stress and Weight Management Using Rhodiola Rosea and Rhododendron Caucasicum – Dr. Zakir Ramazanov and Dr. María del Mar Bernal Suárez

Adicción a los carbohidratos:
The Hidden Addiction and How to Get Free – Janice Keller Phelps, M.D. and Alan E. Nourse, M.D.

Sugar Blues – William Dufty

The Carbohydrate Addict's Diet - Rachael F. Heller and Richard F. Heller

Aminoácidos L-Tyrosine y L-Glutamine:
The Healing Nutrients Within – Eric R. Braverman, M.D.

CoQ10:
The Coenzyme Q10 Phenomenon– Stephen T. Sinatra, M.D., F.A.C.C.

Diabetes:
Dr. Bernstein's Diabetes Solution - Richard K. Bernstein, M.D.

Estrés y *cortisol*:
The Stress of Life- Hans Selye, M.D. (Ganador del Premio Nobel de Física en 1967)

The Cortisol Connection – Shawn Talbott, Ph. D.

Hongo candida albicans:
The Yeast Connection Handbook – William G. Crook, M.D.

Candida Albicans: The Quiet Epidemic – Stanley Weinberger, C.M.T.

The Yeast Syndrome – John Parks Trowbridge, M.D. and Morton walker, D.P.M.

The Missing Diagnosis – C. Orian Truss, M.D.

Hormona progesterona:
What Your Doctor May Not Tell You About Menopause – John R. Lee, M.D.

Natural Progesterone – John R. Lee, M.D.

Importancia del agua:
Your Body's Many Cries for Water – F. Batmanghelidj, M.D.

Intolerancias a alimentos:
False Fat Diet – Elson M. Haas, M.D.

Leche:
Don't Drink Your Milk! – Frank A. Oski, M.D.

Metabolismo estancado:
Natural Hormonal Enhancement – Rob Faigin

Nutrición para adelgazar:
Protein Power – Michael R. Eades, M.D. and Mary Dam Eades. M.D.

Relación de la nutrición con distintas enfermedades:
Nutrition and Physical Degeneration – Weston A. Price, D.D.S

Life Without Bread – Christian B. Allan, Ph. D. & Wolfgang Lutz, M.D.

Tiroides y Yodo:
Thyroid Power – Richard L. Shames, M.D. and Karilee Halo Shames, R.N., Ph. D.

The Thyroid Diet – Mary J. Shomon

Wilson's Temperature Syndrome – E. Denis Wilson, M.D.

Solved: The Riddle of Illness – Stephen E. Langer, M.D. and James F. Scheer

Hypo-thyroidism: The Unsuspected Illness – Broda O. Barnes, M.D. and Lawrence Galton

Iodine: Why You Need It, Why You can't Live Without It – David Brownstein, M.D.

Trampolín rebotador:
The Miracles of Rebound Exercise – Albert E. Carter

Rebound Exercise, The Ultimate Exercise For The New Millenium – Albert E. Carter

Vitaminas, minerales y hierbas naturales:
New Vitamin Bible – Earl Mindell, R.P.H., Ph.D.

Supplement Bible – Earl Mindell, R.P.H., Ph.D.

The Miracle of Magnesium – Carolyn Dean, M.D., N.D.

Encyclopedia of Nutritional Supplements – Michael T. Murray, N.D.

Clear Body, Clear Mind – L. Ron Hubbard

The Real Vitamin & Mineral Book – Shari Lieberman, Ph., CNS, FACN and Nancy Bruning

RECURSOS ADICIONALES

Natural Slim
San Juan, Puerto Rico
Teléfono 787-763-2527
www.rebajar.com
Para recibir ayuda profesional y personalizada para mejorar el metabolismo y adelgazar. Especialidad en casos de personas que ya han experimentado varios fracasos debido a un metabolismo lento, diabetes o hipotiroidismo.

Dr. Fernando Álvarez Soto
Caguas, Puerto Rico
Teléfono 787-746-2530
Para problemas con la tiroides. El doctor Fernando Álvarez
ofrece ayuda con el sistema creado por el Dr. Denis Wilson
(www.wilsonstemperaturesyndrome.com) que permite
re-establecer la función de la tiroides. Este sistema permite
que una persona pueda, en muchos casos, evitar el tener
que utilizar medicamentos para la tiroides por toda una
vida. Muchas personas que padecen del llamado
"hipotiroidismo subclínico", que no se refleja en los
análisis de laboratorio, ahora pueden recibir ayuda médica
en Puerto Rico.

Dr. Carlos Cidre
Manatí, Puerto Rico
Tel. 787-884-3139
El doctor Carlos Cidre es un médico internista que también
trata el hipotiroidismo subclínico con el sistema para
re-establecer la función de la tiroides del Dr. Denis Wilson.
Trata también otras condiciones relacionadas a la obesidad
como diabetes e hipertensión.

www.WilsonsTemperatureSyndrome.com
Sitio de Internet para enterarse sobre los problemas de
tiroides que no se reflejan en los análisis de laboratorio.
Ofrecen un tratamiento en casi todos los distintos estados
de los Estados Unidos y recientemente también en Puerto
Rico con los doctores Fernando Álvarez Soto en Caguas y
el doctor Carlos Cidre en Manatí.

www.ClubDeRebajar.com
Este es un sitio de Internet donde Frank Suárez,
Especialista en Obesidad y Metabolismo, publica nueva
información y consejos relacionados al metabolismo.

Dr. Carlos Portocarrero
Cirujano Plástico
San Juan, Puerto Rico
Teléfono 787-723-1234
Si el sobrepeso era mucho aún al adelgazar pueden quedar en el cuerpo algunas masas de grasas localizadas o de piel colgante que afea el cuerpo. El doctor Portocarrero ha ayudado con cirugía plástica a muchos de los miembros del sistema Natural Slim con excelentes resultados.

www.johnleemd.com
Sitio de Internet para enterarse sobre los beneficios de la progesterona.

www.ElPoderDelMetabolismo.com
Sitio de internet donde se pueden adquirir copias adicionales de este libro y donde periódicamente se anuncian los seminarios que Frank Suárez ofrece.

METABOFORTE™   **www.metaboforte.com**
San Juan, Puerto Rico
Teléfono 787-793-0070
Para conocer mejor u ordenar los suplementos especiales de METABOFORTE™ como Relax Slim™, Metabolic Protein™, Coco-10 Plus™, Stress Defender Angel™, Candiseptic™ Kit, Thyrol™, Metabolic Vitamins™, la crema de progesterona natural o los suplementos de magnesio y potasio que ayudan a subir el metabolismo para poder adelgazar.

RELAXSLIM WEIGHT LOSS SYSTEM
www.RelaxSlim.com
Clearwater, Florida, USA.
Teléfono libre de cargos: 1-888-348-7352
Ofrece todos los productos METABOFORTE a las personas que residen en los Estados Unidos continentales.

ÍNDICE

aceite canola............... *85*

aceite de oliva *20, 21, 85, 330*

aceites poliinsaturados *85, 230, 325*

acidez.. *39, 51, 52, 54, 76, 81, 82, 83, 84*

ácido caprílico *275*

ácido úrico *256*

ácidos transgrasos . *86, 87*

adicción *39, 42, 43, 44, 199, 219, 220, 222*

almidones *21, 45, 95, 163, 209, 210, 211, 212, 213, 325, 330*

alta presión arterial..... *16, 130*

Alzheimer's *262*

ansiedad *21, 43, 195, 219, 262*

antibióticos................ *112*

antidepresivos *46, 129*

arroz y habichuelas... *184, 186, 188, 191, 192*

artritis *256*

Ashwagandha.... *261, 262*

asma...........*113, 130, 155*

aspartame® *88, 89*

Atkins *6, 7, 19, 20, 147*

ATP *251, 302*

azúcar .*16, 20, 21, 36, 37, 38, 40, 41, 42, 43, 46, 51, 75, 83, 93, 101, 111, 113, 115, 116,*

117, 118, 119, 179, 221, 326, 327, 330

bebidas alcohólicas.... *113*

blueberry leaves *263, 264, 298*

Burger King® *192*

calorías....*6, 9, 16, 19, 27, 146, 147, 157, 158, 181*

cáncer......*16, 26, 45, 106, 108, 109, 124, 232*

candida albicans *103, 104, 105, 106, 107, 108, 109, 110, 111, 112, 113, 114, 179, 221, 222*

candidiasis *108*

CANDISEPTIC™ KIT *296, 315, 316, 317*

cansancio continuo..... *68, 124, 327, 328*

carne *6, 29, 37, 38, 39, 81, 83, 95, 99, 123, 135, 151, 183, 184, 185, 186, 188, 231, 232*

cerdo *29, 81, 95, 165, 166, 177, 178, 184, 191, 193, 194, 207, 230, 231, 232, 255, 325*

Cistitis (infecciones urinarias en la mujer) *106*

Coca-Cola® . *47, 51, 188, 219*

337

COCO-10 PLUS™... *285, 286, 294, 301, 302, 303, 309, 310*

colesterol.*5, 7, 16, 17, 45, 59, 86, 87, 118, 227, 228, 229, 230, 231, 232, 233, 234, 235, 326, 327*

colorantes y preservativos *165*

CoQ10 ......*271, 272, 301, 302, 303*

corazón*20, 23, 46, 73, 87, 116, 139, 230, 234*

corn syrop *92*

cortisol..*3, 74, 75, 76, 77, 78, 79, 121, 130, 140, 155, 221, 326*

cortisona ...*112, 130, 326*

depresión...*42, 43, 46, 65, 66, 107, 129, 328*

desayuno *99, 100, 101, 224, 226*

DETOX *43, 222*

diabetes.......*5, 16, 45, 88, 114, 115, 116, 117, 118, 119, 120, 155, 185, 199, 328*

diabéticos..*11, 16, 36, 41, 45, 114, 115, 116, 117, 118, 185, 327, 328*

dieta 2x1 o 3x1. *186, 188, 191, 223*

dietas de contar calorías *157*

digestión*7, 23, 24, 81, 82, 83, 84*

diodinase.............. *57, 69*

diuréticos *130*

doctor Broda Barnes....*63*

doctor Denis Wilson....*63*

Dolores menstruales fuertes – PMS........*107*

dulces..*20, 25, 33, 35, 37, 45, 47, 77, 88, 111, 118, 119, 135, 180, 187, 199, 200, 201, 219*

Edema (acumulación de agua) *124*

ejercicio ..*6, 9, 25, 29, 78, 99, 105, 133, 134, 136, 137, 138, 139, 140, 141, 146, 147, 154*

enzimas...*66, 81, 82, 327, 329*

Esclerosis múltiple *124*

estrés.....*3, 70, 73, 74, 75, 76, 77, 78, 79, 121, 140, 155, 179, 221, 326*

estrógeno..*112, 121, 122, 123, 124, 125, 127, 228, 326, 327*

fatiga........................*261*

fibra *20, 167, 187*

fibromas...................*124*

Fibromialgia..............*124*

fisiculturistas.............*212*

Flujo o picor vaginal .*107*

fluoruro................. *89, 90*

frío en las extremidades *42, 66, 68, 328*

frutas. *35, 39, 46, 83, 180, 187, 326*

gases ... *81, 82, 83, 94, 96, 106, 107*

glucagona *204*

glucosa *36, 39, 40, 42, 45, 46, 54, 75, 76, 83, 111, 114, 115, 117, 118, 119, 120, 173, 179, 184, 185, 187, 224, 225, 326, 327, 328, 330*

goitrógenos *88, 94*

hamburgers *186, 187*

hígado *16, 46, 76, 78, 109, 111, 141, 231*

hipertiroidismo *89*

hipoglucemia.... *115, 119, 120, 327*

hipotiroidismo *42, 58, 59, 62, 63, 65, 89, 113, 230*

hongo candida .. *103, 104, 105, 106, 107, 108, 109, 110, 111, 112, 113, 114, 179, 221, 222*

hormona CCK *166*

hormona T3..... *58, 62, 69*

hormona T4 *57, 58, 68, 71*

hormonas .. *42, 43, 46, 57, 59, 62, 65, 66, 68, 89, 122, 124, 221, 228, 326, 327, 328, 329*

huevos *21, 37, 38, 83, 100, 180, 220, 221, 229, 230, 231, 233, 234, 329*

insomnio ... *42, 46, 62, 66, 68, 140, 327*

insulina *11, 42, 43, 45, 46, 115, 117, 119, 120, 179, 180, 183, 184, 185, 187, 223, 224, 225, 226, 231, 232, 329*

intolerancias ... *91, 92, 96, 97*

Irregularidad o trastornos en la menstruación. *107*

Jack Lalanne *216*

jugos *19, 37, 50, 180, 221*

jugos de vegetales *216*

Kentucky Fried® *192*

leche . *40, 41, 88, 95, 177, 195, 221, 281, 329*

leuza *259, 260*

L-Glutamine *282*

Libido (interés sexual) *124*

L-Tyrosine .. *62, 129, 269, 270*

Lupus *124*

Magnesio *323*

maíz *21, 36, 37, 38, 85, 86, 92, 94, 96, 230, 325, 326, 330*

maltitol *94*

mantequilla *20, 86, 87, 227, 229, 230, 231*

margarina *86, 87, 227, 229, 230*

McDonalds® *192*

medicamentos .. *9, 11, 16, 17, 46, 58, 69, 81, 83,*

85, 109, 112, 117, 118,
129, 130, 131, 179,
201, 227, 229, 233, 234
menopausia *112, 329*
Menstruación dolorosa
.... *124*
METABOLIC
PROTEIN™. *285, 286,*
294, 307, 308, 309, 310
METABOLIC
VITAMINS™ *295,*
313, 314
micotoxinas *105*
migrañas *46, 106, 107,*
108
musculatura *121, 151,*
152, 154, 156, 212
músculos ...*121, 133, 151,*
152, 153, 212, 326
myricetin *298*
Natural Slim™. *9, 21, 88,*
92, 93, 94, 103, 108,
109, 117, 151, 154,
222, 233
neuropatía diabética . *272,*
287
niacina *297*
niacinamida *297*
niños *17, 133, 229*
Osteoporosis *124, 329*
oxígeno*39, 50, 51, 54, 76,*
325, 326
pan integral *167, 187*
Parkinson ...*252, 253, 262*
Paxil® *46, 129*

Pérdida de interés en sexo
.... *59*
Pérdida de memoria *59*
Picores en la piel *107*
polifenoles *46*
Potasio *321*
predominación de
estrógeno *121, 123,*
124, 127
problemas digestivos .. *12,*
81, 83, 84, 328
Problemas digestivos ... *59*
progesterona *122, 123,*
125, 126, 127
Prozac® *129*
prueba de metabolismo
gratis *286*
queso ...*20, 21, 37, 38, 39,*
83, 99, 135, 184, 186
reflujo *81, 82, 84*
refrescos carbonatados*37,*
40, 51, 52, 54, 84, 92
regla del 90/10 .... *288*
RELAX SLIM™ *285,*
286, 294, 297, 298, 299
resistencia a la insulina
.... *120*
restaurante argentino . *193*
restaurante chino *194*
restaurante criollo *192*
restaurante italiano *193*
restaurantes mexicanos
.... *194*
reumatismo *256*

rhaponticum
carthamoides *243, 259, 295*
rhodiola 129, 243, 249, 250, 251, 252, 253, 295
rhododendron .. 243, 255, 256, 257, 295
serotonina *46*
sexo *62, 107, 126*
síndrome de abstinencia
.... *220*
Sinusitis *107*
sirope de maíz *37, 92*
sistema inmune *23, 76, 108, 112, 113, 326, 329*
sistema linfático *139*
soya *36, 85, 86, 87, 88, 92, 94, 96*
Splenda® *89*
STRESS DEFENDER
ANGEL™.... *295, 311, 312*
sucralose® *89*
Synthroid® *58, 68*
temperatura del cuerpo*42, 57, 58, 65, 66, 71, 328*
testosterona121, 228, 326
THYROL™..... *296, 317, 319, 320*
tiroides *42, 46, 57, 58, 59, 62, 63, 62, 63, 65, 66,*

67, 68, 69, 70, 71, 77, 85, 87, 88, 89, 113, 230, 327, 328
tóxicos ..*24, 86, 105, 106, 109, 139, 222*
trampolín....*137, 138, 140*
trampolín rebotador... *138*
triglicéridos.. *5, 7, 16, 45, 71, 118, 234, 235, 273, 329*
trigo *19, 35, 36, 41, 92, 95, 96, 97, 118, 185, 326*
TSH *58, 59*
vegetales ...*19, 21, 35, 37, 39, 46, 83, 101, 117, 180, 184, 221, 232, 326*
vegetarianismo *9*
vitamina B-1 (tiamina)
.... *129*
vitamina B3 .... *297*
vitaminas *35, 71, 135*
whey *21, 95, 100, 215, 281, 282, 283, 294, 307, 308, 309, 329*
yodo.. *57, 62, 71, 88, 215, 296, 298, 317, 318, 319, 320, 330*
Zakir Ramazanov *245, 247*
Zolof® *129*